La tectonique des sentiments

Éric-Emmanuel Schmitt

La tectonique des sentiments

Albin Michel

En hommage à Diderot,
une fois de plus,
dont un passage de Jacques le Fataliste
inspira cette histoire.

1

CHEZ DIANE

Tout commence par un baiser.

L'homme garde la femme enlacée contre lui. Debout, ils s'embrassent de façon longue, soutenue.

Puis l'homme détache ses lèvres et murmure avec douceur :

RICHARD. Je reviens.

Aux gestes qu'elle a pour le retenir, on devine qu'elle souhaiterait que leurs caresses durent davantage.

Il insiste avec grâce.

RICHARD. Cinq minutes ?

On dirait qu'il négocie.

RICHARD. Cinq minutes ?

D'un sourire résigné, elle consent à son départ.

DIANE. Va.

RICHARD *(attendri)*. Tu survivras à ces cinq minutes ?

DIANE. Peut-être.

RICHARD. Jure-le-moi.

DIANE. Non, c'est un risque que tu prends. Et toi, tu survivras ?

RICHARD. J'essaierai ; moi, je te le jure.

Il s'éloigne, élégant, nonchalant, plein de l'assurance propre aux hommes qui plaisent et se savent aimés.

Entre d'un autre côté Madame Pommeray, la mère de Diane, qui aperçoit Richard en train de quitter le salon.

MADAME POMMERAY. Où va-t-il ?

DIANE. Chercher les journaux.

MADAME POMMERAY. Ah ! Encore une séparation ?

DIANE. De cinq minutes.

MADAME POMMERAY *(bouffonnant)*. Quel drame ! Je vais t'aider à traverser cette épreuve. *(Elles rient.)* Respire lentement, détends-toi, songe qu'il parviendra au kiosque sans traverser la rue et rappelle-toi que, ces derniers temps, les avions ne s'écrasent plus beaucoup sur Paris. Ça va ?

Diane approuve avec une mine malicieuse tandis que Madame Pommeray continue à s'amuser en prenant soudain une mine tragique.

MADAME POMMERAY. Restent les renards ! Oui ! On n'y réfléchit pas assez, mais il est fort possible qu'un renard enragé bondisse d'un jardin et lui morde le mollet gauche ! Ou le droit !

DIANE *(jouant le jeu avec humour)*. Oui, tu as raison, on n'y réfléchit pas assez.

MADAME POMMERAY. Le cas échéant, il va revenir blessé, l'œil fixe…

DIANE. … la bave aux lèvres…

MADAME POMMERAY. … fiévreux…

DIANE. … contaminé…

MADAME POMMERAY. … contagieux…

DIANE. … mais il m'embrassera, je serai condamnée à mon tour, et nous mourrons quelques jours plus tard enlacés dans notre tombe en une étreinte éternelle, ensemble. Donc tout va bien.

MADAME POMMERAY. Tout va bien ! Je casserai même ma tirelire de retraitée pour vous porter des chrysanthèmes. *(Soupirant.)* Ah, Diane, je n'aurais pas imaginé voir ma fille aussi heureuse. C'est à en faire pipi de bonheur.

DIANE *(grondant)*. Maman…

MADAME POMMERAY. Si. Toi qui étais si sérieuse, absorbée par tes études, tes concours, ta carrière politique, toi qui au Parlement t'occupes des femmes en général, jamais de toi en particulier, toi qui a manqué de chance dans ton premier couple…

DIANE. Maman, s'il te plaît : il est inutile de me raconter ma vie.

MADAME POMMERAY. Mais j'adore raconter ta

vie ! Dès que tu n'es pas là, je soûle la terre entière avec ton histoire.

DIANE. Je suis là, retiens-toi.

MADAME POMMERAY *(battant des mains)*. Bref, tout est mal qui finit bien : ma fille qui n'avait pas de goût pour l'amour savoure désormais le grand amour.

DIANE *(dubitative malgré elle)*. Oh, le grand amour...

MADAME POMMERAY. Si ! Un homme qui se bat plusieurs années pour attirer ton attention, qui te fait la cour comme on assiège une ville fortifiée, qui t'aime plus que tu ne l'aimes, longtemps avant que tu ne l'aimes, moi, désolée, j'appelle ça le grand amour !

DIANE *(troublée)*. Il m'aime plus que je ne l'aime ? Tu penses ça, vraiment ?

MADAME POMMERAY. Oui.

DIANE. Qu'est-ce qui te pousse à le croire ?

MADAME POMMERAY. Que n'as-tu pas inventé afin de le décourager ? Non seulement tu l'as écarté pendant deux ans mais, quand tu l'as enfin laissé approcher, tu lui as expliqué que ta carrière passerait avant ton compagnon, que ton mariage avait représenté les années les plus ennuyeuses de ta vie, que vous n'habiteriez pas ensemble. Il a tenu envers et contre toi. Rarement un homme s'est démené comme lui pour obtenir une femme. D'ailleurs, tu n'es pas une femme : tu es une victoire.

DIANE. Pourquoi ne m'épouse-t-il pas ?

MADAME POMMERAY *(suffoquée)*. Mais… ! Parce que tu ne veux pas !

DIANE. Et alors ?

MADAME POMMERAY. J'hallucine ! Tu déclines ses propositions de mariage et tu lui reproches ensuite de ne pas t'épouser !

DIANE. J'ai toujours agi ainsi et ça ne l'a jamais arrêté. Pourquoi s'en tient-il, cette fois, à mon refus ?

MADAME POMMERAY. J'ai enfanté un monstre !

Un temps. Madame Pommeray discerne que Diane demeure perplexe.

MADAME POMMERAY. Il ne t'a pas redemandée en mariage ?

DIANE. Pas ces derniers mois.

MADAME POMMERAY. Le cas échéant, tu l'épouserais ?

DIANE. Je ne sais pas.

MADAME POMMERAY. Quelle sale gosse !

DIANE. Non, maman, je suis inquiète. J'ai peur. Il ne se comporte plus comme avant. Parfois, il bâille quand nous lisons côte à côte. Il n'arrive plus en courant lorsque nous avons été séparés quelques heures, avec cet air d'enfant bouleversé qui vient d'échapper à une catastrophe. S'il me serre toujours dans ses bras, comme tout à l'heure, il ne me broie plus contre lui. D'ailleurs, il n'a plus cette fébrilité, ces gestes fous qui exprimaient son impatience, ces gestes qui me faisaient souvent mal. *(Avec détresse.)* Maman, il ne me fait plus mal.

MADAME POMMERAY. Il s'affine. N'oublie pas que ce n'est qu'un homme.

DIANE. Il supporte que ses voyages d'affaires nous éloignent l'un de l'autre plusieurs jours ; auparavant, ça le rendait malade d'anxiété.

MADAME POMMERAY. Ça signifie qu'il a confiance en vous.

DIANE *(très sincère)*. On ne peut pas être amoureux et avoir confiance.

MADAME POMMERAY. Si !

DIANE. Non !

MADAME POMMERAY. C'est ton avis, pas le sien.

DIANE. Qu'en sais-tu ?

MADAME POMMERAY. Et toi ? *(Avec douceur.)* Demande-le-lui.

DIANE. Je crains d'avoir compris.

MADAME POMMERAY. Les femmes ne peuvent comprendre que ce qu'il y a de féminin dans un homme, et les hommes que ce qu'il y a de masculin dans une femme : autant dire qu'aucun sexe ne comprend l'opposé. En interprétant sa conduite, tu es certaine de te tromper.

DIANE. L'homme et la femme demeurent étrangers l'un à l'autre ?

MADAME POMMERAY. Naturellement, c'est pour ça que ça marche depuis si longtemps.

DIANE. C'est surtout pour ça que ça ne marche pas.

MADAME POMMERAY *(avec une autorité claire)*. Demande-le-lui.

DIANE. Non ! Ce serait avouer mes inquiétudes.

MADAME POMMERAY. Demande.

DIANE. Non ! J'ai trop peur de ce qu'il répondra.

MADAME POMMERAY. Diane, cesse de répliquer à sa place. Demande-le-lui ! Mais comme une femme… Pas de façon ouverte… Sois fine… Parle-lui comme s'il s'agissait de toi : « Richard, n'as-tu pas remarqué que je bâille lorsque nous lisons côte à côte, que je n'arrive plus en courant, comme avant, lorsque nous avons été séparés quelques heures, que, si je te serre dans mes bras, je ne te fais plus mal, etc. » Tu verras comment il l'interprète.

Quoique tentée par la proposition de sa mère, Diane tremble encore.

DIANE. Jamais je ne m'étais attachée à un homme comme à lui, maman.

MADAME POMMERAY. Je sais, ma chérie. Raison de plus pour nettoyer ces vilains doutes qui te noircissent l'imagination.

DIANE. Tu crois ?

MADAME POMMERAY. Écoute-moi : tu auras une bonne surprise.

DIANE. Je ne survivrai pas à une déception.

À cet instant, Richard revient, les journaux sous le bras. À peine a-t-il le temps d'apercevoir leur attitude anormale que les deux femmes reprennent une contenance ordinaire. Madame Pommeray, pour distraire son attention, fonce vers lui.

MADAME POMMERAY. Ah, voici Richard et ses journaux ! Toujours les journaux ! Encore les journaux !

RICHARD. Oui, je sais, c'est une drogue. Je ne peux plus m'en passer, je recommence chaque jour. Typique d'un malade.

MADAME POMMERAY. À mon avis, vous ne savez même plus pourquoi vous les lisez.

RICHARD *(parcourant les titres)*. Mm ?

MADAME POMMERAY. D'ailleurs, vous dispensent-ils encore le moindre plaisir ? Y a-t-il un moment où c'est meilleur qu'un autre ?

RICHARD. Le lundi. Parce que j'en ai été privé le dimanche.

MADAME POMMERAY. Voyez, la dépendance totale ! Mon pauvre garçon, je vous plains.

RICHARD. Ingrate, moi qui vous fournis généreusement en mots croisés !

MADAME POMMERAY. Chacun sait que les journaux n'ont été inventés que pour procurer des mots croisés. Sinon, quelle utilité ? Des nouvelles qui changent tous les jours, des informations périmées le lendemain, des textes imprimés qui perdent leur valeur d'heure en heure : vous trouvez ça sérieux, vous ?

RICHARD. Tout change tous les jours, c'est vous qui ne l'acceptez pas.

MADAME POMMERAY. Taratata, je n'entreprends pas une discussion de fond avec vous : vous n'avez pas le niveau.

Il éclate de rire devant tant d'allègre insolence.

RICHARD. Je m'incline.

MADAME POMMERAY. À tout à l'heure.

RICHARD. À tout à l'heure, jolie maman.

Moitié par jeu, moitié par galanterie, il lui baise la main. Ravie des rapports qu'elle entretient avec son beau gendre, Madame Pommeray glousse avant de se sauver.

Richard sélectionne quelques journaux et les tend à Diane.

RICHARD. Voici les tiens.

DIANE. Merci.

Ils s'assoient pour lire.

Richard s'absorbe dans son quotidien tandis que Diane garde le nez en l'air.

DIANE. Es-tu sérieux, Richard, lorsque tu affirmes que « tout change tous les jours » ?

RICHARD *(écoutant à peine)*. Je suis rarement sérieux avec ta mère. Comment ?

DIANE. « Tout change tous les jours », tu le penses ?

RICHARD. Sans doute.

DIANE. J'aimerais que ce soit faux.

Jusqu'ici retenu par la lecture d'un article, il a négligé de réagir ; or il entend ce que Diane vient d'exprimer et, en se tournant vers elle, découvre qu'elle arbore une mine sombre.

RICHARD. Que se passe-t-il ?

DIANE. Richard, il y a longtemps que j'ai envie de te faire une confidence.

Un silence. Il s'inquiète.

RICHARD. Oui ?

DIANE *(fuyant dans le rire)*. Non, je suis désolée. Si je réfléchis, il vaut mieux que je me taise…

RICHARD. Diane, la première de nos conventions a été celle-ci : tout nous dire.

Il l'incite à se livrer avec une claire autorité d'homme, en lui tenant les mains ; Diane, troublée, doit obéir. Elle se détache de lui pour en avoir le courage, penche la nuque en avant, la voix altérée.

DIANE. As-tu remarqué que j'ai changé ?

Il la fixe. Il ne répond pas.
Un temps.
Elle frémit.

DIANE. Donc, tu as remarqué.

RICHARD *(très inquiet)*. De quoi parles-tu ?

DIANE. Oui, tu as remarqué. Tu as remarqué que, parfois, je bâille quand nous lisons côte à côte. Que je n'arrive plus en courant, comme avant, lorsque nous avons été séparés quelques heures. Que je ne te fais plus mal si je te serre dans mes bras. Que je supporte mieux tes voyages d'affaires qui nous éloignent l'un de l'autre.

Atterré, il la contemple ; s'il n'était pas assis, il tomberait.

Diane ne perçoit pas la douleur qu'elle lui inflige ; au contraire, elle interprète son silence comme une absence de démenti ; du coup, rageuse, elle continue :

DIANE. Au début, j'exigeais de rester seule avec toi ; puis nous sommes sortis en ville, un soir par semaine, un soir sur deux, et maintenant j'apprécie que nous dînions dehors avec des amis. Tu l'as remarqué ?

Intense silence. Il est devenu pâle comme un mort. Exaspérée, elle charge encore.

DIANE. Je n'insiste plus pour que nous passions toutes les nuits ensemble. Un début de rhume, un plat difficile à digérer, un peu de travail, une pointe de fatigue justifient que je te demande de retourner dormir chez toi.

Elle le scrute. Lui, en sueur, sans couleurs, les yeux exorbités, ne bouge toujours pas.

DIANE. T'es-tu rendu compte que je n'ai plus la même gaieté ? Je manque d'appétit, je ne bois et ne mange que par nécessité, j'ai du mal à dormir. Pourquoi ai-je si souvent envie de solitude ? La nuit, je m'interroge : est-ce lui ? Est-ce moi ? A-t-il changé ? Non. Est-il moins aimable ? Non. Alors c'est moi qui change. Que se produit-il ? Bien sûr, ce ne sont que des symptômes, mais des symptômes de quoi ?

Épuisée, à bout de nerfs, elle s'arrête.

Bouleversé, Richard se lève, s'approche d'elle, lui saisit la main, la porte à sa bouche et l'embrasse longuement ; puis, vidé de ses forces, il se laisse tomber à ses pieds.

RICHARD *(avec douleur)*. Je t'adore.

DIANE. Pardon ?

RICHARD. Je t'adore, Diane, je t'aime plus que tout.

Elle rosit d'espoir devant ce préambule : se serait-elle trompée ?

DIANE. Quoi ? Après ce que je viens de te dire ?

RICHARD *(fiévreux)*. Tu es une femme hors du commun.

DIANE. Pardon ?

RICHARD *(les larmes aux yeux)*. Au-dessus des autres.

DIANE. Pardon ?

RICHARD. Je ne te mérite pas. C'est d'ailleurs ce que j'ai toujours pensé.

Il se relève et, avec difficulté, entraîné par la volonté, poursuit sur un ton grave :

RICHARD. Oui. Tu as raison.

DIANE. Moi ?

RICHARD. Tu as raison.

DIANE. Comment ? Je n'ai rien dit.

RICHARD. Si. Toi, tu as osé. Toi, tu as eu le courage que je n'aurais pas eu. Toi, tu oses déclarer ce que je tais, ce que je te cache, ce que je me cache.

DIANE *(pâlissant)*. Quoi ?

Il s'assoit très près d'elle. Diane commence à redouter ce qu'elle va entendre.

RICHARD. Tu as parlé la première mais ton histoire est mot pour mot la mienne. Oui, Diane, moi aussi, malgré moi, contre moi, mon sentiment faiblit.

Il la regarde avec une étrange dureté.

Choquée, parcourue de frissons, Diane ferme les paupières et détourne la tête. Elle voudrait l'interrompre, cependant c'est trop tard : Richard est maintenant lancé.

RICHARD. Nous ne sommes plus comme avant. L'amour s'estompe. Je voudrais que ce ne soit pas ainsi, or ma volonté n'y peut rien, toute ma bonne volonté...

Les larmes emplissent les yeux de Diane.

DIANE. C'est donc vrai ?

RICHARD. Rien de plus vrai.

Il la fixe.
Un temps.

DIANE. Alors ?

Richard pousse un soupir.

RICHARD. C'est à mon tour d'être aussi courageux que toi... *(Il prend sa respiration, se lève, glisse derrière elle, l'enserre de ses bras.)* Cessons de jouer : séparons-nous.

Des larmes flottent dans ses yeux.
Diane, quoique suffoquant, se contrôle.

DIANE. Je suis d'accord.

Surpris, il s'attendait à des hurlements. Or elle continue à se maîtriser.

DIANE. C'est plus honnête.

RICHARD *(approuvant faiblement)*. C'est plus honnête.

Elle se dégage de son emprise. En se relevant, elle chancelle et comprend que, dans quelques secondes, elle ne parviendra plus à donner le change.

DIANE. Ça ne te gêne pas si nous en restons là ?

RICHARD. Nous ne déjeunons plus ensemble ?

DIANE. J'ai besoin de réfléchir.

RICHARD *(avec douleur)*. Oui. *(Un temps.)* C'est mieux.

DIANE. Oui, c'est mieux.

Alors qu'elle s'éloigne, il la retient par le coude, sous l'effet d'une pulsion, comme s'il allait oublier ce qu'il a proclamé pour l'étreindre sauvagement.

Cependant, lorsqu'il se trouve face à face avec elle, il se contrôle, se force à sourire.

RICHARD. Nous allons devenir de grands amis.

DIANE. Bien sûr.

RICHARD. Les plus grands amis du monde.

DIANE. Au moins.

Gêné, il va l'embrasser sur la bouche, puis, au dernier moment, réalise que ce serait malvenu et dévie son baiser vers le front.

Diane maintient dans ses poings fermés une envie de frapper.

RICHARD. Amis ?

DIANE. Amis !

Elle se retire.

Richard, ému, sonné, désire s'enfuir au plus

vite. Tandis qu'il ramasse ses journaux, arrive Madame Pommeray.

MADAME POMMERAY. Quoi ? Vous partez ? Nous ne vous gardons pas pour le déjeuner ?

RICHARD. Diane vous expliquera.

Madame Pommeray opine comme si elle avait déjà compris.

MADAME POMMERAY. À bientôt ?

RICHARD (*fuyant*). À bientôt.

Elle l'arrête avant qu'il ne sorte, sans noter sa fébrilité.

MADAME POMMERAY. Richard, je vais me mêler de ce qui ne me regarde pas – ce qui du reste est dans mes habitudes – mais, puisque je vous aime tous les deux et que je déchiffre bien ma fille, je vais vous donner un conseil : proposez-lui de l'épouser.

RICHARD. Pardon ?

Il subit un deuxième K.-O.

MADAME POMMERAY. Je sais que vous avez essuyé un refus il y a plusieurs mois. Cependant, je suis sûre que si vous le lui reproposiez maintenant, elle accepterait.

Richard, au comble de l'embarras, ne sait que répondre.

MADAME POMMERAY. En réalité, elle ne rêve que de ça.

Pressé d'en finir, Richard se précipite sur Madame Pommeray, l'embrasse sur les deux joues, au risque de la broyer.

RICHARD. Au revoir, jolie maman.

MADAME POMMERAY. Au revoir, Richard.

Il bat en retraite, jetant depuis le pas de la porte un œil effaré sur cet endroit où, quelques heures plus tôt, il vivait un enchantement…

2

RUE

Dans une rue mal éclairée, entre les ponts routiers et les voies pour camions, à la lisière grondante de la ville, une jeune femme se tient debout, appuyée au mur, sous la lumière sale d'un néon. Fatiguée, droguée, elle attend les clients dont on voit défiler les ombres sur elle.

La tristesse qui l'accable n'arrive pas à atténuer sa beauté.

D'un café enfumé où grésille une radio crachant les chansons du moment, Diane et une femme mûre sortent brusquement. Leur entrevue s'achève sur le trottoir.

RODICA. Voilà. Je vous ai dit ce que je savais.

DIANE. Merci. Merci infiniment, madame Nicolescou.

Rodica Nicolescou, une cinquantaine d'années, le corps et le visage usés, boudinée dans des vêtements trop sexy, détend ses jambes, s'étire, allume une cigarette comme pour s'oxygéner.

RODICA. Vous croyez que ça vous servira ?

Diane finit de ranger ses dossiers au fond de sa mallette.

DIANE. Une fois que j'aurai rédigé mon rapport, je tâcherai de sensibiliser le Parlement pour que nous améliorions vos vies. Je vous le promets.

Diane remarque la très jeune femme sur le trottoir d'en face.

RODICA. Vous êtes une personne respectable, une députée, vous avez un métier, des responsabilités et vous vous intéressez à nous : pourquoi ?

DIANE. Lorsque j'ai fini mes études, presque seule femme au milieu de tant d'hommes, je me suis juré, si je réussissais en politique, de travailler sur la condition féminine.

RODICA. La condition féminine, d'accord. Mais les prostituées ?

DIANE. Si on les traite si mal, c'est bien parce qu'elles sont des femmes, non ?

RODICA. Vous n'avez pas quelqu'un dans votre famille, quelqu'un qui…

DIANE *(interloquée)*. Non.

RODICA. Une sœur… une mère…

DIANE *(amusée)*. Non, pas du tout. D'ailleurs, ma mère serait sans doute choquée d'apprendre que j'ai exigé cette mission !

RODICA. Vous êtes très large d'esprit.

DIANE. Pas une seconde : j'exerce mon métier. Croyez-vous qu'un médecin refuse de soigner un malade sous prétexte que l'usage qu'il fait de son corps ne lui plaît pas ?

RODICA. Ça s'est vu.

DIANE. Non, pas un bon médecin, un humaniste, un homme qui croit à son devoir. Même si l'on a horreur de la prostitution, on ne doit pas agir comme si elle n'existait pas.

Diane va enchaîner en demandant qui est la jeune femme sous le néon lorsque Rodica l'arrête par son commentaire.

RODICA. Ah vous voyez que ça vous déplaît !

DIANE. Quoi ?

RODICA. La prostitution.

DIANE. Évidemment, ça me déplaît. Pas à vous ?

RODICA *(approuvant)*. Houlà, moi, c'est ma vie, alors évidemment que ça me déplaît !

DIANE. Peu importe que le monde ne me séduise pas, je le prends tel qu'il est, le monde, et je relève mes manches. Je ne crois pas qu'on modifie les hommes, encore moins qu'on le doive ; pis, je me méfie des politiciens qui avoueraient cette ambition : ils finissent dictateurs. Ni vous ni moi ne réformerons l'humanité, madame Nicolescou ! Toutefois nous pouvons améliorer les lois, les rendre moins hypocrites. Je ne rédige ce rapport que pour m'assurer qu'on ne piétine plus vos droits, votre santé, votre dignité.

RODICA. Alors bingo ! Si vous ne craignez pas l'ouvrage, vous êtes tombée au bon endroit !

Diane désigne la très belle jeune femme, fine, distinguée, aux yeux baissés.

DIANE. Qui est-ce ?

RODICA. Oh, ça, c'est de la pauvre fille !

DIANE. Mais encore ?

RODICA *(avec mépris)*. On l'appelle « l'intellectuelle ». Une gamine qui vous récite des heures de poésie. Vous imaginez comme c'est utile dans notre profession !

DIANE. J'ai rarement vu une femme aussi belle.

RODICA *(mauvaise)*. Ah oui ? Vous pensez comme les clients !

DIANE. Et si triste…

RODICA. Heureusement… y en a que ça repousse.

DIANE *(songeuse)*. Vous me la présentez ?

RODICA *(stupéfaite)*. La présenter… *(Haussant les épaules.)* Elina, s'il te plaît, viens nous rejoindre. Elina, Elina, viens !

La jeune femme ne bronche pas.
Rodica s'approche, accompagnée par Diane.

RODICA. Je te présente Madame Pommeray, qui est députée et qui rédige un rapport sur nous afin que les politiques arrangent notre situation. Dis bonjour.

ELINA *(sans expression)*. Bonjour, madame.

DIANE. Bonjour.

Diane tente, en vain, de capter le regard d'Elina.

RODICA. Je lui expliquais que tu savais des poèmes français. Des tas de poèmes par cœur. Que tu les avais appris, là-bas, en Roumanie.

Elina demeure indifférente.

RODICA. Montre-lui.

ELINA. Je suis fatiguée.

RODICA. Allons, mauvaise graine, montre-lui qu'elle comprenne qu'en Roumanie, il y a des gens comme toi.

ELINA. Je ne vis plus en Roumanie.

RODICA. Tête de bois ! Ça ferait bon effet qu'une

fille comme nous prouve qu'elle a de la culture. Ça servirait la cause.

ELINA. Je suis fatiguée.

RODICA. Fichu caractère ! *(À Diane.)* Faut l'excuser, madame. Elle entamait des études de littérature française à Bucarest quand des hommes lui ont proposé un poste de jeune fille au pair en France, lui promettant qu'elle pourrait s'inscrire à l'université, découvrir Paris, les librairies, les bibliothèques, les théâtres... Une fois qu'elle a débarqué ici, ils l'ont violée, rouée de coups, puis ils lui ont confisqué ses papiers et l'ont posée sur le trottoir. Le classique, quoi !

DIANE *(révoltée)*. Il faut porter plainte !

Elina baisse la tête. Rodica répond à sa place :

RODICA. Comment porte-t-on plainte lorsqu'on n'a plus de papiers ? Lorsqu'on est illégale ? Lorsque l'on sait que, si le réseau l'apprend, ils mettront leur chantage à exécution.

DIANE. De quoi la menace-t-on ?

RODICA. Amener sa petite sœur en France, la

mettre, elle aussi, sur le trottoir. Un classique aussi, ça !

Entendant cela, Elina a un geste qui trahit son angoisse, puis elle parvient à se contrôler et s'absente de nouveau.

Diane prend la situation très à cœur.

DIANE. C'est monstrueux. J'engagerai tous mes moyens pour vous aider, mon rapport sera éloquent, je le conduirai pas à pas, de commission en commission, dans les couloirs de l'Assemblée jusqu'à ce qu'il provoque des réformes, une amélioration… Mes paroles ne sont ni des indignations vertueuses ni des promesses électorales, croyez-le bien.

RODICA. Je vous crois, madame. Merci.

DIANE *(se tournant vers la jeune fille)*. Je compatis, Elina, même si ça ne change rien pour l'instant, sachez que je compatis.

Elina semble n'avoir pas entendu.

Diane n'insiste pas et s'apprête à partir.

À peine a-t-elle avancé de trois pas qu'Elina l'arrête.

ELINA. Attendez. Je vais vous dire un poème.

RODICA *(irritée)*. Ce n'est plus utile, Elina ! Et puis c'est trop tard, maintenant !

Diane sourit à Elina puis lui murmure avec beaucoup d'humanité :

DIANE. Je serai ravie de l'entendre.

ELINA. Des vers de Baudelaire. Je les ai appris depuis que je suis ici.

Elina, offrant son visage parfait à la lumière, commence à réciter.

ELINA. « Si vous la rencontrez, bizarrement parée,
Se faufilant au coin d'une rue égarée,
Et la tête et l'œil bas comme un pigeon blessé,
Traînant dans les ruisseaux un talon déchaussé,

Messieurs, ne crachez pas de jurons ni d'ordure,
Au visage fardé de cette pauvre impure
Que déesse Famine a par un soir d'hiver
Contrainte à relever ses jupons en plein air.

Cette bohème-là, c'est mon tout, ma richesse,
Ma perle, mon bijou, ma reine, ma duchesse,
Celle qui m'a bercé sur son giron vainqueur,
Et qui dans ses deux mains a réchauffé mon cœur. »

Lumineuse, pure comme une madone, elle achève le poème les larmes aux yeux.

Diane la contemple avec émotion.

3

CHEZ DIANE

Brandissant une bouteille de champagne, Richard, habillé pour le soir, chic, sombre et séduisant, déboule dans le salon de Diane, s'empare de deux coupes.

RICHARD *(à la cantonade)*. Champagne !

DIANE *(off)*. Champagne ?

RICHARD. Champagne !

DIANE *(off)*. Pourquoi ?

RICHARD. Avant d'aller au restaurant, nous devons fêter ça.

En appuyant sur un bouton, il déclenche un air de musique – du jazz sud-américain – et amorce, seul, quelques pas de danse. Il ondule de manière sensuelle, avec une grâce nonchalante.

DIANE *(entrant)*. Que fêtons-nous ?

Diane apparaît, superbe.
Appuyant un regard qui apprécie sa beauté, Richard s'approche d'elle en balançant et lui tend un verre.

RICHARD. Notre lucidité.

Elle s'en saisit avec élégance.

RICHARD. Enterrons, avec ces quelques bulles, la perte du sentiment fragile qui nous unissait.

DIANE. Aux illusions…

RICHARD. … perdues !

Ils trinquent.
Leur joie révèle quelque chose de sec, de forcé.
Après avoir bu une gorgée, Diane s'assied sur l'accoudoir d'un fauteuil.

DIANE. Y as-tu songé ? Comment vivrions-nous si l'un de nous deux avait cessé d'aimer pendant que l'autre continuait…

RICHARD *(riant)*. Oh oui…

DIANE. Imagine que ton amour ait duré plus longtemps que le mien…

RICHARD. Quelle horreur !

DIANE. Ou l'inverse…

RICHARD *(riant davantage)*. Une tragédie !

DIANE. Une tragédie…

Richard, emporté par la musique, l'aborde et l'invite. En esquissant les gestes, sans danser vraiment, ils nous font percevoir qu'ils devaient être très bons amants et que ce souvenir ne s'est pas refroidi dans leurs corps, loin de là.

DIANE. Lequel de nous a cessé d'aimer le premier ?

Richard réfléchit quelques pas puis lance, comme s'il se jetait à l'eau :

RICHARD. J'ai peur que ce soit moi.

DIANE. Ah oui, qu'est-ce qui te fait dire ça ?

RICHARD. Je ne voyais aucun signe de refroidissement chez toi alors que je les constatais en moi. Depuis plusieurs mois, je m'estimais coupable.

DIANE. Combien ?

RICHARD. L'automne dernier.

DIANE *(s'arrêtant, choquée)*. Presque un an, donc ? *(Se contrôlant de nouveau, reprenant la chorégraphie.)* Coupable de quoi ?

RICHARD. Coupable d'avoir consacré des années à te suggérer de m'aimer, et, lorsque le bonheur s'installe, lorsque nous vibrons à l'unisson, de découvrir que l'amour s'exténue en moi.

DIANE. Peut-être ne m'aimais-tu qu'à condition que je ne t'aime pas ?

RICHARD. Non, je n'ai jamais été aussi heureux que pendant nos années de passion partagée, ça je te le jure.

Il a déclaré cela avec intensité, en favorisant le rapprochement de leurs corps. On a l'impression qu'il va l'embrasser.

Troublée, Diane feint de tomber en arrière sur un canapé afin de se détacher.

DIANE. Peut-être préfères-tu te battre plutôt que savourer ? N'es-tu pas ainsi dans tes affaires, acharné à conquérir des marchés, à écraser la concurrence, surtout soucieux de victoires ? Tu prospères mais tu profites peu de tes richesses. Si tu avais la même démarche en amour ? Si tu souhaitais seulement gagner ?

Il remplit de nouveau leurs coupes de champagne.

RICHARD. Ce serait odieux...

DIANE. Peut-être es-tu odieux ? Peut-être ne devrais-tu pas te plaire autant que tu te plais ?

Choqué, il se retourne et la scrute avec étonnement. Elle s'esclaffe pour dissiper la gêne.

DIANE. Je plaisante ! Tu ne serais un monstre que si moi, je n'avais pas changé, que si moi, j'avais continué à t'aimer...

RICHARD. C'est vrai.

Il soupire de satisfaction, stoppe la musique, lui tend sa coupe.

RICHARD. Tout va être simple désormais.

DIANE. Je te sens soulagé.

RICHARD. Oui.

DIANE. Soulagé d'être guéri de l'amour ?

RICHARD. Oui.

DIANE *(avec tristesse)*. C'était donc une maladie ?

RICHARD *(riant)*. Non, soulagé de mon mensonge. Nous allons entretenir des rapports sains désormais. *(Avec énergie.)* Tu m'as redonné de l'estime. Estime pour moi. Estime pour toi. Nous allons développer une vraie amitié.

Au terme « amitié », un spasme secoue Diane. Quoique le remarquant, Richard continue, lyrique :

RICHARD. Nous nous raconterons tout. Tu m'annonceras tes nouveaux flirts et moi les miens.

DIANE. Tu comptes entamer une collection ?

RICHARD. J'en doute car tu m'as rendu difficile sur ce plan-là.

DIANE. Merci.

RICHARD. Mais si ça se produit, tu m'aideras de tes conseils. Et moi je te prodiguerai les miens si tu crois en avoir besoin.

La regardant étrangement, il ajoute :

RICHARD. Qui sait ce qui peut arriver ?

DIANE. Eh oui ! Qui sait ?

RICHARD. La passion va et vient mais les sentiments subsistent. Comme l'affection que j'éprouve pour toi, l'admiration, la tendresse... Qui sait ?

DIANE. Qui sait ?

RICHARD. Qui sait ? Je pourrais même redevenir amoureux de toi.

DIANE. Ah oui ? Et si ça revenait ?

RICHARD. Je serais l'homme le plus exaucé de la terre.

Il ne détache pas ses yeux d'elle. Elle frissonne, gênée, et, afin de se donner une contenance, se dirige vers l'appareil à musique.

Il la suit, se penche avec intérêt vers elle.

RICHARD. Et toi ?

DIANE. Quoi, moi ?

RICHARD. Si ça revenait ? Tes sentiments pour moi ?

DIANE. Ah… *(Avec assurance.)* Je pense que ça ne reviendra pas.

RICHARD *(choqué)*. Pourquoi ?

DIANE. Tu auras été la seule fièvre, la seule passion de mon existence. Vu que j'ai eu du mal à y céder, je ne m'abandonnerai plus.

RICHARD. Allons, tu plaisantes ! Tu n'aimeras plus ?

DIANE. Non.

RICHARD. Ni moi ni un autre ?

DIANE. Comme je t'ai aimé. Non. Plus personne. Jamais.

Elle appuie sur un bouton et lance un air de musique endiablé. On a l'impression qu'elle le nargue.

Touché, Richard voudrait réagir, or les mots lui manquent.

À son tour, Diane esquisse quelques mouvements de danse. Elle conclut sur un ton léger :

DIANE. À quoi bon, d'ailleurs, puisque, quoi qu'on fasse, un jour, ça disparaît. *(Avec une bonne humeur forcée.)* Champagne ?

RICHARD *(avec le même enjouement forcé)*. Champagne !

Empressé, il remplit deux coupes de vin mousseux.

RICHARD *(sur un ton ambigu)*. Tu es unique, Diane, vraiment unique. Grâce à toi, nous nous sommes épargné les mesquineries et les bassesses qui encombrent la vie des gens.

Ils trinquent.

RICHARD *(sincère)*. Jamais tu ne m'as semblé aussi belle ni aussi intelligente que ce soir.

DIANE *(le retenant)*. Chut ! Pas trop de déclarations d'amour… on sait où cela mène.

RICHARD. Judicieux.

Entre alors Madame Pommeray.

RICHARD. Bonsoir, jolie maman.

MADAME POMMERAY. Quoi ? *(Se rendant compte qu'elle n'entend pas.)* Attendez, Richard, je branche mes oreilles électriques.

Inquiète, Diane s'approche de Richard et lui ordonne à voix basse :

DIANE. S'il te plaît, pas un mot à maman : je ne lui ai encore rien dit.

RICHARD. D'accord.

Ils sourient à la vieille dame.

MADAME POMMERAY. Voilà : je vous entends.

RICHARD. Bonsoir, jolie maman. Comment allez-vous ?

MADAME POMMERAY. C'est une excellente question mais je n'y répondrai qu'en présence de mon avocat.

RICHARD. Et votre santé ?

MADAME POMMERAY. La santé n'est pas mon fort.

Même si, depuis le temps, j'ai déjà fait mourir plusieurs médecins.

RICHARD. Vous savez que je vous aime beaucoup, jolie maman.

MADAME POMMERAY. Vous êtes si bel homme que je vous crois. Ce soir, vous sortez ensemble, bien sûr ?

RICHARD. Oui. *(Il s'approche et embrasse la vieille dame.)* Bonne nuit. Je vais chercher la voiture qui est parquée un peu loin. Diane, je t'attends devant la maison !

Alors qu'il s'éloigne avec vivacité, il s'arrête et gémit de douleur. Chancelant, il se retient aux meubles. Diane se précipite pour le soutenir.

DIANE *(inquiète)*. Ton dos ?

RICHARD. Oui. Toujours ce fichu dos…

MADAME POMMERAY. Il faut consulter, Richard. Si vous voulez, je vous donnerai des adresses de médecins : à mon âge, on n'a plus que ça dans son carnet de téléphone.

Diane lui frotte les reins, l'aidant à se remettre.

DIANE *(nerveuse)*. Il a subi des examens, maman : il n'a rien.

RICHARD *(maugréant)*. Rien. À part mal, je n'ai rien.

MADAME POMMERAY. Pas de problème, j'ai aussi des numéros de psychanalystes. Je les collectionne pour mes amies du bridge.

RICHARD. Voilà, ça va aller… ça passe très vite…

Il se redresse avec volontarisme mais on doit saisir que son corps inflige de vraies souffrances à cet homme courageux.

Afin d'effacer l'incident, il embrasse Madame Pommeray.

RICHARD *(avec tendresse)*. Bonsoir à la plus jolie des jolies mamans.

Il part.

La mère, rougissante, revient vers sa fille.

MADAME POMMERAY. Diane, je ne sais pas quelle danse du ventre tu lui as faite mais je n'avais pas vu Richard aussi détendu depuis des mois.

DIANE *(sombre)*. Moi non plus.

MADAME POMMERAY. Et toi qui, l'autre jour, doutais de sa passion ! Petite folle, va ! Te voilà rassurée, j'espère ?

Diane acquiesce de la tête.

DIANE. Bonsoir, maman, va te coucher.

MADAME POMMERAY. J'y vais, j'y vais. *(Elle obéit d'abord puis se ravise.)* Pardonne mon indiscrétion : t'a-t-il proposé le mariage ?

DIANE. Non.

MADAME POMMERAY. Eh bien, sans vouloir gâcher le suspens, je dois te souffler que ça ne m'étonnerait pas qu'il se déclare bientôt.

DIANE *(avec douleur)*. Je ne crois pas.

MADAME POMMERAY. Taratata… Où t'emmène-t-il au restaurant ?

DIANE. Chez Rosier.

MADAME POMMERAY. Chez Rosier ? Que disais-je : le cadre idéal pour une demande en mariage.

DIANE. Maman, débranche tes appareils et va te coucher.

MADAME POMMERAY. Tu vas voir, ma fille, tu vas voir. Ta mère n'est pas aussi gâteuse que tu le crois. La vie réserve bien des surprises. D'accord, d'accord. Je débranche mes appareils, là ! Je vais me coucher…

Madame Pommeray éclate de rire comme une enfant et s'éloigne, primesautière, sur un exultant « bonsoir » qu'elle module en chantonnant.

Demeurée seule, Diane ne cache plus sa peine. Son visage laisse apparaître la douleur. On croit qu'elle va pleurer… lorsque soudain, longuement, inexorablement, elle pousse un hurlement de bête blessée.

4

COULOIR EN MANSARDE

Diane arrive, suivie des deux Roumaines, Rodica et Elina, dans un couloir qui traverse l'ultime niveau d'un immeuble, l'ancien étage des domestiques.

Avec ses clés, elle ouvre la porte d'un appartement mansardé.

De la main, elle désigne l'intérieur que nous ne voyons pas.

DIANE. Voilà, ce serait ici.

Intimidées, Elina et Rodica passent la tête.

ELINA *(émerveillée)*. C'est magnifique.

DIANE. Magnifique ? Non. C'est simplement un petit appartement très clair sous les toits de Paris.

ELINA *(renchérissant).* C'est magnifique.

DIANE. Ces dernières années, je le louais à des étudiantes. Si nous parvenons à trouver un accord, je pourrai le mettre à votre disposition. *(Elle indique un dossier qu'elle tient contre elle.)* Quant à vos papiers, mon cabinet a beaucoup avancé : voici déjà des attestations provisoires en attendant les cartes de séjour définitives. Dans dix jours, ça devrait être réglé.

Elina et Rodica reçoivent le dossier, contemplent les feuilles.

ELINA. Ah, madame, je ne sais trouver les mots pour...

DIANE. Tt tt... je vous laisse visiter le temps de résoudre un problème avec le concierge. Entrez et voyez si ça vous convient.

Diane descend l'escalier, abandonnant les deux femmes devant l'appartement.

Celles-ci ne réagissent pas de façon identique : Elina nage dans le bonheur tandis que Rodica marmonne, maussade, inquiète.

ELINA *(euphorique)*. Tu y crois, toi, Rodica, tu y crois ?

RODICA *(cassante)*. Non.

ELINA *(choquée)*. Quoi ? Ils ne sont pas réels, ces papiers ?

RODICA. Si.

ELINA. Et cet appartement ?

RODICA. Combien ça va nous coûter, tout ça ?

ELINA. Elle nous le prête pour rien jusqu'à ce que nous trouvions un véritable emploi.

RODICA. C'est bien ce que je dis : combien ? Qu'est-ce que ça cache ?

ELINA. Oh toi, toujours à te méfier de tout le monde !

RODICA. La vie m'a prouvé que j'avais raison d'être méfiante : je n'ai encore jamais rencontré le Père Noël.

ELINA. Enfin, une députée qui se bat pour que les femmes ne soient plus traitées comme nous le sommes, qui engage son nom, sa réputation en rédigeant un rapport parlementaire, tu en as rencontré beaucoup des comme ça ?

RODICA. Non, justement…

ELINA. Tu es indécrottable.

RODICA. D'accord sur ce qu'elle entreprend officiellement, là je ne doute pas de sa sincérité. Mais après ? La politique, d'accord. La charité, non. Inutile ! Pourquoi fait-elle un geste qu'elle n'est pas obligée de faire ? Avec son propre argent ? Un appartement qui lui remplit les poches... Pourquoi nous ? Toi et moi ! Des putes dans la détresse, elle en a rencontré des centaines pendant son enquête, alors celles-ci plutôt que celles-là... Crois-moi, elle n'agit pas pour tes beaux yeux.

ELINA. Tant mieux : jusqu'ici, j'ai détesté tous ceux qui ont agi pour mes beaux yeux.

RODICA. Elina, il y a un prix ! Rien n'est gratuit dans la vie.

ELINA. Elle va nous le préciser. De toute façon, je sais qu'elle est honnête.

RODICA. Ah oui, c'est marqué où ?

ELINA. Rodica, tu perds la tête ! Madame Pommeray nous aide à sortir de l'enfer et à reconstruire nos vies. S'il y a un prix à payer, je veux bien le payer, ça, je te l'assure. Plutôt deux fois qu'une.

RODICA. Moi aussi. J'espère simplement que j'en ai les moyens.

ELINA. Crois-tu qu'il y a pire que ce que nous faisons déjà ?

Rodica hausse les épaules.
Diane revient.

DIANE. Alors, l'endroit vous plaît-il ?

ELINA. Infiniment, madame. Infiniment.

Elle se précipite vers Diane, lui saisit les mains et les embrasse avec reconnaissance.

DIANE. Et vous, madame Nicolescou ?

RODICA. Faut voir…

ELINA. Elle n'ose pas vous le dire : elle adore.

Diane, fixant Elina, l'aborde avec franchise :

DIANE. Maintenant, Elina, je ne vais pas vous mentir : il y a un prix à payer pour cela.

RODICA. Ah !

ELINA. Naturellement ! Quelles sont vos conditions ?

DIANE. Mes conditions ? Non. J'ai un service à vous demander. Un très grand service.

Diane prend son temps, réfléchit puis débute sur un ton très posé :

DIANE. Voici : il s'agit de rendre un homme heureux.

Les deux femmes sont médusées.

DIANE. Je voudrais qu'un homme s'entiche d'Elina. Et qu'ils vivent ensemble une liaison.

ELINA. Mais…

RODICA. Pourquoi ?

DIANE. J'aime cet homme.

RODICA. Je comprends encore moins.

ELINA. Je vous assure, madame Pommeray, que moi non plus je ne vois pas ce que…

D'un geste, Diane leur intime de se taire. Luttant contre son propre désarroi, elle explique la situation :

DIANE. Il y a quelques semaines, Richard, mon amant, se plaignait de douleurs dans le dos. On lui a fait passer des examens médicaux. Officiellement, cette investigation n'a rien donné ; officieusement, elle a découvert un cancer généralisé. Un cancer si avancé qu'il est inutile de prodiguer des traitements qui fatigueraient le malade davantage. Richard ne sait rien, croit ne subir que des douleurs fugitives, ne soupçonne pas ce qui l'attend. Selon le médecin, il n'aurait plus que quelques mois à vivre. Moins d'un an.

Les deux femmes commencent à éprouver de la sympathie envers Diane.

DIANE. Quelques jours après que les médecins m'ont révélé ce secret, Richard m'annonce qu'il me quitte.

ELINA. Non !

DIANE. Si.

RODICA. Ah, les hommes !

DIANE. Qu'auriez-vous fait à ma place ? Lui auriez-vous crié : « Non, non, ne nous séparons pas, tu vas mourir bientôt, reste parce que sans moi tu agoniseras seul » ? Je me suis tue.

Elles approuvent de la tête. Agité, le corps de Diane tremble.

DIANE. J'ai même trouvé le courage de lui promettre que nous serions amis. *(Avec une sorte de rage.)* L'amitié ! Comme si j'allais me contenter d'une amitié avec l'homme que j'ai le plus passionnément aimé. *(Elle parvient à se contrôler.)* Et que j'aime encore.

Désorientée, elle tourne son visage vers les deux femmes.

RODICA. Il vous quitte pour une autre ?

DIANE. Non.

RODICA. Alors pourquoi ?

DIANE. La fatigue… l'usure…

ELINA. C'est parce qu'il est malade ! Vous devez le reconquérir.

DIANE *(avec fermeté)*. Non. Pas après ce qu'il m'a dit.

Elles comprennent que l'orgueil de Diane a été si affecté qu'elles ne doivent pas insister.

DIANE. C'est là que vous arrivez ! Elina, vous avez un de ces visages qu'on n'oublie pas, un visage qui suscite l'émotion. Lorsque je vous ai vue, j'ai eu l'intuition – fausse peut-être – que Richard raffolerait de vous. Voilà, je voudrais lui offrir du bonheur, l'impression du bonheur, l'illusion du bonheur. *(Elle s'approche d'Elina.)* Je vous supplie de le rencontrer et de jouer la comédie de la séduction. Si cela fonctionnait, vous embelliriez ses derniers instants. Ainsi, il ne mourrait pas seul, sans femme auprès de lui. S'il vous plaît, acceptez. Je vous en prie, Elina : acceptez.

ELINA *(vacillante)*. Mais vous savez ce que je suis…

DIANE. Vous passerez pour ce que vous êtes en vérité : une jeune étudiante roumaine férue de littérature. Comment se douterait-il d'autre chose ? *(Douce.)* Après tout, il ne lui reste que quelques mois… Et il s'agit de mentir pour une noble cause… Voulez-vous essayer ?

ELINA. Bien sûr, madame, j'accepte avec plaisir.

DIANE. Oh merci ! Merci !

Elle serre Elina dans ses bras.

RODICA. Et moi ? Qu'est-ce que je fabrique dans le tableau ?

DIANE. Je propose que vous soyez la mère d'Elina.

RODICA *(éberluée)*. Sa mère !

DIANE. Oui. Une mère paisible, attentionnée, soucieuse du bien-être de sa fille, qui refrénera les ardeurs de Richard s'il veut aller trop loin, trop vite avec Elina. Vous apporterez un peu de respectabilité à tout cela.

RODICA. De la respectabilité... Ça, c'est nouveau.

ELINA. Oh, je t'en prie, Rodica, accepte. N'y a-t-il pas plus beau moyen de nous racheter ?

RODICA *(furieuse)*. Nous racheter ? Nous racheter de quoi ? Je suis une victime, moi, pas une criminelle.

ELINA *(corrigeant sa phrase)*. Nous en sortir. Oh, s'il te plaît, Rodica...

DIANE. S'il vous plaît.

RODICA. J'accepte.

DIANE. Merci. Alors mettons-nous d'accord. Contre ce service, mon secrétaire vous délivrera chaque lundi une enveloppe qui couvrira les dépenses de votre ménage. Pendant ce temps, je remplirai les papiers officiels qui vous permettront de toucher des aides et d'avoir accès aux soins médicaux. Lorsque nous serons prêtes – le plus tôt possible –, j'organiserai la rencontre avec Richard. Que mon projet rate ou réussisse, vous aurez quitté votre ancienne condition et vous aurez acquis le droit d'être libres. Dans tous les cas, vous y gagnez.

RODICA. C'est vrai.

DIANE. Je voudrais aussi que vous ne receviez personne, pas même vos voisines, et qu'Elina s'inscrive à l'université afin de poursuivre ses études. D'accord ?

ELINA. D'accord.

RODICA. Ça marche.

Diane, sortant une lettre de sa poche, la tend à Elina.

DIANE. Tenez, j'ai pris des précautions pour votre petite sœur. Voici son courrier, posté du pensionnat de jeunes filles, au sud du pays, où elle sera en sécurité, hors d'atteinte du réseau. Les hommes qui vous menacent ne devraient pas la retrouver.

Elina presse l'enveloppe contre son cœur.

ELINA. Oh merci ! Merci ! Nous allons réussir, vous savez, nous allons réussir.

DIANE. Je le souhaite.

Elle se force à paraître énergique mais sa voix se brise sous le coup de l'émotion.

DIANE. Richard doit partir dans sa tombe sans connaître notre secret. Jurez-moi que vous ne lui direz jamais qui vous êtes, ni ce que je vous ai demandé. Jamais. Jurez-le-moi.

ELINA. Je vous le jure.

RODICA. Je le jure.

Diane leur tend les clés de l'appartement.

5

CHEZ DIANE

Chacun dans un fauteuil, Richard et Madame Pommeray parcourent les journaux.

Richard paraît nerveux, soucieux, une idée semblant lui brûler le cerveau et empêcher sa concentration. Il consulte perpétuellement sa montre.

N'ayant rien remarqué, Madame Pommeray s'exclame :

MADAME POMMERAY. Richard, venez à mon secours : je cale sur une colonne de mes mots croisés !

RICHARD. Je vous écoute.

MADAME POMMERAY. « Donne des ailes » en six lettres ?

RICHARD. Oiseau ?

MADAME POMMERAY. Non.

RICHARD. Alcool ?

MADAME POMMERAY. Non plus.

RICHARD. Espoir ?

MADAME POMMERAY. C'est ça ! J'avoue que c'est le genre de mot auquel je ne songe pas spontanément, surtout à mon âge.

RICHARD *(sincère, laissant percer son inquiétude)*. Comment va Diane, en ce moment ?

MADAME POMMERAY. Mon cher, c'est à vous qu'il faut demander ça ! C'est vous qui partagez sa vie, son lit, ses pensées... Moi, Diane, je me suis bornée à la mettre au monde puis à l'élever. Je suis sa mère, autant dire la personne qui la connaît le moins au monde.

RICHARD. Comment pouvez-vous affirmer ça ?

MADAME POMMERAY. Richard, iriez-vous prétendre que vos parents possèdent un savoir exhaustif sur vous ?

RICHARD *(amusé)*. Non.

MADAME POMMERAY. Ce sont les gens qui ont les souvenirs les plus anciens vous concernant, ceux qui ont sans doute vécu le plus d'heures dans votre proximité animale, mais vous ne sauriez assurer qu'ils déchiffrent votre mode d'emploi.

RICHARD. Ils m'aiment.

MADAME POMMERAY. Justement ! Aimer n'est pas connaître.

RICHARD *(confirmant)*. Aimer c'est privilégier. Tout le contraire de la science, plutôt le début d'un aveuglement.

MADAME POMMERAY. Évidemment : si chaque père et chaque mère préfèrent leurs enfants à ceux des autres, c'est rarement parce qu'ils ont étudié le marché.

RICHARD. D'ailleurs, est-ce intéressant de connaître quelqu'un ?

MADAME POMMERAY. Fréquenter suffit.

RICHARD *(soudain sombre)*. Sans une part de mystère, d'obscurité, d'insaisissable, on se lasserait…

MADAME POMMERAY. Exactement ! J'ai rencontré un gynécologue qui prétendait que si tous les hommes pratiquaient son métier, il n'y aurait plus de crimes passionnels.

Richard éclate de rire.

À cet instant-là, Diane entre, surprise par la présence de Richard. Il se précipite vers elle, plein de mille propos à lui confier.

RICHARD. Diane, enfin !

DIANE. Je ne pensais pas te trouver là.

RICHARD. Nous avions rendez-vous.

DIANE. C'est impossible, deux amies doivent prendre le thé ici.

RICHARD *(contrarié)*. Diane, nous avions décidé d'aller ensemble au cinéma.

DIANE. Tu crois ?

RICHARD. Oui. *(Avec force.)* Et j'ai besoin de te parler.

DIANE. Me parler ?

RICHARD. Oui. Je te l'ai même reprécisé hier soir au téléphone. *(Blessé.)* Comment as-tu pu oublier ?

DIANE. Excuse-moi, Richard, j'ai dû confondre les dates.

MADAME POMMERAY. Eh bien, quand tes amies vont sonner, nous n'aurons qu'à retenir notre respiration pour faire croire qu'il n'y a personne.

DIANE. Maman !

RICHARD. Vont-elles s'incruster ?

DIANE. Non, ce n'est qu'une visite de politesse.

RICHARD. Alors j'attends. Qui sont-elles ?

DIANE. En réalité, j'ai croisé la mère lors d'un voyage officiel en Roumanie il y a plusieurs années ; ayant appris qu'elle s'était rendue à Paris avec sa fille, par hospitalité, je lui ai proposé de passer. Ça risque d'être ennuyeux.

RICHARD. Je l'espère. L'entretien durera d'autant moins.

MADAME POMMERAY. J'ai rencontré un Roumain quand j'étais jeune. Oui, très beau, très brun, avec des yeux clairs, étranges, pailletés, entre le vert amande et le gris de l'huître. Il jouait merveilleusement de la guitare. D'ailleurs, il avait des doigts exquis.

DIANE *(l'interrompant)*. Maman, quel rapport ?

MADAME POMMERAY. Tu as dit « Roumanie » et ça me rappelle le seul Roumain que j'ai fréquenté. Malgré mon âge, j'essaie de participer à la conversation.

DIANE. C'est raté.

MADAME POMMERAY. On voit que tu ne l'as pas connu.

DIANE. Non. Et je ne le connaîtrai pas. Donc...

MADAME POMMERAY. Ne t'en débarrasse pas si vite : il aurait pu être ton père...

DIANE. J'avais compris, merci. Mais ce n'est pas mon père ?

MADAME POMMERAY *(avec un soupir de regret)*. Non...

On entend sonner.

DIANE. Les voilà.

MADAME POMMERAY. Je retourne dans ma chambre pendant que tu reçois tes amies roumaines. Qu'en penses-tu ?

DIANE. Soit.

RICHARD. Je reste avec toi pour que nous nous en débarrassions plus vite. D'accord ?

DIANE. D'accord.

Diane sort accueillir ses invitées.

MADAME POMMERAY. Je ne sais pas ce que ma fille a contre ce jeune homme qui aurait pu être son père : il était très présentable, je vous assure. Un bon parti. Des dents parfaites. Excellent danseur. Une taille de guêpe. Des cravates choisies avec goût. Des gilets en soie brodée. Et il parlait au moins six langues.

Pendant qu'elle se justifie, Richard lui donne son bras pour l'amener dans sa chambre.

MADAME POMMERAY. On ne pouvait lui reprocher qu'une chose : il portait trop de bagues, une à chaque doigt. Cependant, il les posait le soir sur la table de nuit, comme tout le monde...

Ils ont disparu.

Diane revient avec Elina et Rodica.

Les deux femmes sont habillées de manière respectable, ce qui vieillit Rodica en lui donnant des airs de rombière mais rend Elina encore plus irrésistible.

DIANE *(à voix haute)*. Entrez, entrez.

RODICA. C'est si gentil de votre part, madame Pommeray.

DIANE. Allons, allons, on croirait que je fais un effort…

RODICA. Nous ne fréquentons pas grand monde depuis que nous sommes installées à Paris.

Richard apparaît.

RICHARD. Bonsoir.

Les deux Roumaines frémissent, comme des prudes qui seraient gênées par l'irruption d'un homme. Elles se relèvent, confuses.

RODICA. Nous vous dérangeons alors que vous êtes en famille…

ELINA. Nous allons vous laisser…

RODICA. Nous ne voulons pas vous importuner…

Richard interrompt les protestations.

RICHARD. Du tout.

Il dévisage Elina. Découvrir cette jeune beauté freine soudain son impatience. Il sourit.

RICHARD. J'exige des présentations en règle.

DIANE. Richard, je te présente Rodica Nicolescou et sa fille… *(S'adressant à Elina.)*… Quel est votre prénom, déjà ?

ELINA. Elina.

Galant, Richard offre aux deux femmes un baisemain stylé, s'attardant davantage sur Elina.

RICHARD. Richard Darcy. Je suis un ami de Diane. Un ami intime.

DIANE. Ami intime ? C'est la première fois que tu te gratifies de ce titre.

RICHARD *(renfrogné)*. Ami intime, n'est-ce pas l'expression juste lorsqu'il n'y a pas d'intimité entre deux personnes ?

Cette remarque montre à quel point Richard, troublé par Elina, a envie de prendre ses distances avec son ancienne maîtresse, de signifier qu'il est libre. Quoique recevant le coup comme un poignard, Diane abonde dans son sens en ajoutant à l'intention des deux femmes :

DIANE. Vous n'interrompez pas une réunion de famille car Richard n'est ni mon mari ni mon fiancé.

RICHARD *(à Elina)*. Êtes-vous de passage à Paris ?

ELINA. Non, nous venons d'emménager. Je poursuis des études de littérature à la Sorbonne.

RICHARD. Sur quoi travaillez-vous ?

ELINA. Musset.

RICHARD *(sans réfléchir)*. Musset ? Quelle drôle d'idée…

ELINA. Pourquoi ?

RICHARD. Un bien vieil auteur, ça, Musset.

ELINA. Un auteur n'est vieux que lorsqu'il ne parle plus à la jeunesse.

RICHARD. Qu'a-t-il en commun avec les jeunes gens d'aujourd'hui, si matérialistes, si désabusés, qui ne croient plus en rien ?

ELINA. Il nous stimule, il nous encourage, il nous console, car il était comme nous.

Richard est ému par tant d'idéalisme et de passion chez la jeune fille. Cessant de se moquer, il devient plus doux.

RICHARD. Vraiment ? En vous suggérant quoi, par exemple ?

Elle rougit.

ELINA. Non, je ne veux pas vous embêter.

RICHARD. Mais pas du tout.

ELINA. Et je crains d'exprimer moins bien que lui ce qu'il écrit.

Rodica l'encourage en jouant la mère fière de sa fille.

RODICA. Elina, dis-nous du Musset.

ELINA. Maman, c'est ridicule.

RODICA. Si, si. Dis-nous du Musset.

DIANE. Nous serions ravis de vous entendre, Elina, car vous savez, Musset, sans vous, ce n'est plus guère que le nom d'une place ou d'un boulevard.

RICHARD. Oui, s'il vous plaît.

Elina donne l'impression de ne céder qu'à l'injonction de Richard. Rougissante, timide, elle lui destine ce texte.

ELINA. « Tous les hommes sont menteurs, inconstants, faux, bavards, hypocrites, orgueilleux et lâches, méprisables et sensuels ; toutes les femmes sont perfides, artificieuses, vaniteuses, curieuses et dépravées ; le monde n'est qu'un égout sans fond où les phoques les plus informes rampent et se tordent sur des montagnes de fange ; mais il y a au monde une chose sainte et sublime, c'est l'union de deux de ces êtres si imparfaits et si affreux. On est souvent trompé en amour, souvent blessé et souvent malheureux : mais on aime, et quand on est sur le bord de sa tombe, on se retourne pour regarder en arrière, et on se dit : J'ai souffert souvent, je me suis trompé quelquefois, mais j'ai aimé. C'est moi qui ai vécu, et non pas un être factice créé par mon orgueil et mon ennui. J'ai aimé. »

Richard dévore Elina des yeux, d'une façon si gênante qu'elle finit par baisser les paupières.

Le constatant, Diane et Rodica échangent un clin d'œil complice.

Richard se relève et éprouve alors une douleur aux reins. Les trois femmes le remarquent, comprennent qu'il souffre sans oser intervenir.

Il s'appuie sur le mur, reprend ses forces comme si de rien n'était.

RICHARD. Et vous, Elina, ce texte vous encourage ?...

ELINA. Oui.

RICHARD. À quoi ?

ELINA. À aimer...

RICHARD *(très songeur)*. À aimer...

6

COULOIR EN MANSARDE

Richard, manteau, gants, des paquets à la main, se tient devant l'appartement qu'occupent désormais les Roumaines.

Il lutte pour que Rodica admette sa présence et ses présents.

RICHARD. Enfin, madame Nicolescou !

RODICA. Non, je ne veux pas vous laisser entrer.

RICHARD. Prenez au moins mes cadeaux.

RODICA. Surtout pas.

RICHARD. Allons.

RODICA. Non, nous ne pouvons pas accepter.

RICHARD. Je vous les laisse.

Il dépose ses paquets au sol.

RODICA. Nous ne les ouvrirons pas. Je m'en veux déjà d'avoir ouvert les premiers. Comme il s'agissait de livres et qu'Elina adore la littérature, je n'ai pas eu le courage de l'en priver. Mais depuis que vous êtes passé à des cadeaux plus chers, je ne tiens même plus à savoir ce que vous achetez.

Quoique déchiffrant avec envie les noms des prestigieuses marques imprimés sur les sacs, elle les repousse vers lui. Il marque un chagrin sincère.

RICHARD. Vous m'humiliez.

RODICA. Vous aussi.

RICHARD. Moi ?

RODICA. Vous nous plongez le nez dans notre misère.

RICHARD. Madame Nicolescou, je ne vous apporte pas des cadeaux pour vous faire sentir que je suis riche mais pour vous procurer un peu de bonheur.

RODICA. Les cadeaux sont une monnaie. Je ne

peux m'empêcher de penser que vous cherchez à obtenir quelque chose grâce à eux.

RICHARD. Quoi donc ?

RODICA. Plaire à ma fille.

Un temps.

RICHARD. C'est vrai. J'aimerais lui plaire.

RODICA. Pourquoi ?

Un temps.

RICHARD. Parce qu'elle m'a ému.

RODICA. Reprenez vos cadeaux.

RICHARD. S'il vous plaît…

RODICA. Reprenez vos cadeaux.

RICHARD. Puis-je voir Elina ?

RODICA. Non.

RICHARD. Madame Nicolescou, vous exagérez ! Elina est majeure… votre attitude me semble d'une époque révolue.

RODICA. Ah oui ? Si, dans notre siècle, les mères vendent leur fille au plus offrant, alors je ne suis pas de ce siècle. Je garde avec elle, pour elle, ce qu'Elina a de plus précieux : sa vertu.

RICHARD *(soufflé)*. C'est un vieux mot, vertu.

RODICA. Pas chez une jeune fille. *(Avec sévérité.)* Je suis d'accord avec vous, monsieur Darcy, notre pauvreté nous rend d'un autre temps car elle valorise un détail qui n'a plus d'importance aujourd'hui : la virginité d'une fille. Si vous voulez vous amuser avec des traînées, restez dans votre milieu, ne descendez pas jusqu'à nous.

Richard peine à croire qu'il a affaire à une femme aussi rétrograde mais il parvient à se contrôler.

RICHARD. Vous m'interdisez de revoir Elina ?

RODICA. Oui.

RICHARD. Elina est-elle d'accord avec vous ?

RODICA. Je ne lui ai pas demandé son avis.

RICHARD. Elle ne veut pas me voir ?

RODICA. Ça serait mentir que de le dire. Au contraire, même, elle adorerait vous revoir.

RICHARD. Alors !

Il laisse exploser sa joie. Elle le calme aussitôt.

RODICA. C'est moi qui m'y oppose.

RICHARD. Allons, madame Nicolescou…

RODICA. Regardez-vous, monsieur Darcy : vous êtes beau, vous êtes riche, vous êtes charmant.

RICHARD *(avec un sourire)*. Donc infréquentable ?

RODICA. Donc irrésistible. *(On sent qu'elle ne tiendrait pas tête à Richard s'il s'agissait d'elle-même.)* Or je veux que ma fille vous résiste.

Il réfléchit puis rebrousse chemin.

RICHARD. Je reviendrai.

RODICA. À votre aise.

Richard, avant de quitter les lieux, lâche d'un ton faussement distrait :

RICHARD. Une cigarette ?

RODICA *(sans réfléchir)*. Avec plaisir… *(Se ressaisissant.)* Non, merci, je ne fume pas.

Richard s'amuse qu'elle soit tombée dans le piège car elle a une voix de fumeuse.

RICHARD. Pas ?

RODICA. Plus.

RICHARD. Ah oui ?

RODICA. J'ai arrêté.

RICHARD *(concluant)*. Il vous arrive de changer d'avis ? Je peux donc garder espoir ?

Rodica grommelle quelques mots indistincts.

RICHARD *(jubilant)*. Au revoir, madame Nicolescou.

Il part.

RODICA. Vos cadeaux !

RICHARD *(avec légèreté)*. Trop tard !

Quand il va descendre les marches, il se retourne et, avec un sourire complice, lui lance son paquet de cigarettes. Par instinct, Rodica l'attrape puis, voyant qu'elle se trahit, le laisse tomber. Il dévale l'escalier en riant.

Lorsqu'elle est certaine qu'il est parti, Rodica se précipite sur l'étui et en tire une cigarette.

Elina apparaît à la porte, s'approche, les yeux brillants, de Rodica.

ELINA. Il était déçu ?

RODICA. Très.

ELINA. Tant mieux. *(Un temps.)* Tu n'as pas été trop dure ? Tu ne l'as pas complètement découragé ? Il va revenir au moins ?

RODICA. Je crois.

ELINA. Tant mieux.

Rodica scrute avec âpreté le visage d'Elina.

RODICA. Elina, ne tombe pas amoureuse !

ELINA *(avec fierté)*. C'est ce qu'on me demande, non ?

7

CHEZ DIANE

Richard et Diane, chacun dans une méridienne, lisent côte à côte.

Incapable de se concentrer sur son journal, Richard, dont les yeux rêvent, sourit en regardant en l'air.

Diane le remarque.

DIANE. Que se passe-t-il ?

RICHARD. Rien.

DIANE. Allons, je ne vois pas là-haut ce qui te fait sourire comme ça… Explique-moi ce que mon plafond a de si parfaitement hilarant.

RICHARD. Je pensais…

DIANE. À quoi ?

RICHARD *(corrigeant)*. À qui ?

DIANE *(docile)*. À qui ?

RICHARD. À ton avis ?

Diane se referme. Cela amuse Richard. Par provocation, il murmure le nom de celle à laquelle il songe :

RICHARD. Elina…

DIANE. Ah, Elina… Encore… *(Perplexe.)* J'avoue que je ne sais si je dois dire « encore » ou « déjà ». Je te trouve tout à fait fou.

RICHARD. Ah bon ? Tu ne m'as jamais vu amoureux ?

DIANE. D'une autre, non.

Un temps. On perçoit qu'il y a entre eux un jeu cruel, subtil, consistant à agacer le partenaire pour le contraindre à avouer ses sentiments.

DIANE. C'est ce qui se passe ?

RICHARD. Je ne sais pas.

Il se lève et marque un mouvement d'arrêt sous le coup de la douleur, se retient à une commode afin de ne pas tomber.

DIANE. Toujours mal au dos ?

RICHARD. Oui. Non. Enfin, ça dépend des jours.

Il se touche les reins, inspire puis se détend. Diane sourit de manière compréhensive. Richard se débarrasse du sujet en badinant :

RICHARD. On est injuste avec ce pauvre corps : on ne le félicite pas quand il fonctionne, on ne le remarque qu'aux instants où il grippe, et c'est quand il a mal qu'on lui en veut.

Diane approuve, préoccupée, puis prend un ton posé :

DIANE. As-tu revu Elina ?

RICHARD. Son dragon de mère refuse désormais mes cadeaux et me ferme sa porte.

DIANE. Normal : elle est fière.

RICHARD. Fierté mal placée.

DIANE *(ambiguë)*. Où va se loger la fierté ? Y a-t-il de bons endroits ? *(Un temps.)* Tu ne vois plus Elina ?

RICHARD *(radieux)*. Si.

DIANE. Ah ?

RICHARD. En cachette. Elle me rejoint au jardin public. Nous marchons ensemble.

DIANE *(un peu moqueuse)*. Comme c'est joli…

RICHARD. Je sens qu'elle m'aime. Ou qu'elle serait prête à m'aimer. Seulement…

DIANE *(s'amusant avec cruauté de la situation)*. Seulement, ça ne va pas plus loin que la promenade…

RICHARD *(avec humour)*… et l'échange de poèmes ! Musset, Verlaine, Baudelaire, je n'en peux plus ! *(Se blottissant contre Diane.)* Que dois-je faire ?

DIANE *(choquée)*. Si je comprends bien, tu me réclames des conseils ?

RICHARD. Enfin, Diane, es-tu mon amie, oui ou non ?

DIANE. Ton amie…

RICHARD. C'est ce que tu as souhaité, que nous restions amis, non ?

DIANE. Mon conseil ? Laisse tomber.

RICHARD. Pourquoi ?

Il s'approche, escomptant de la jalousie, cherchant une réaction passionnée de sa part.

DIANE *(se dégageant)*. Je suis l'amie d'Elina et de Rodica aussi. C'est pour elles que je refuse.

RICHARD. Je te demande pardon ?

DIANE *(forçant la note)*. Je ne veux pas qu'Elina s'embarque dans une liaison avec toi. Je te connais trop : l'amour te corrompt, Richard, tu pourrais accomplir de grandes choses au nom de l'amour, tu n'en commets que d'avilissantes.

L'atmosphère s'électrise.

Richard se met face à Diane et la contemple avec perplexité. On dirait deux duellistes qui se préparent au combat.

RICHARD. Abstinence, voilà ton conseil ?

DIANE. Abstinence, tel est mon conseil !

RICHARD *(d'une voix sourde)*. Attention, Diane, tu fonces vers le couvent : tu idolâtres la vertu en ce moment. N'oublie pas que tu es jeune, belle, et que tu disposes de plusieurs bonnes années pour accomplir des milliers de bêtises. Tu m'inquiètes. Serait-ce l'effet de notre rupture ?

DIANE. Qui sait ?

RICHARD. Ou alors, est-ce un concours entre nous deux ? Après notre séparation, qui mettra le plus de temps à refaire sa vie ? Qui sera l'ingrat qui cicatrisera vite, le fidèle qui n'oubliera pas ? Qui, de toi ou de moi, demeurera le veuf inconsolable de notre amour ? Qui vaut mieux que l'autre ?

DIANE. J'ai peur de posséder la réponse.

Il éclate d'un rire agressif.

RICHARD. C'est toi, naturellement ?

Elle répond avec beaucoup de sérieux :

DIANE. Non, toi.

RICHARD *(surpris)*. Moi ?

DIANE. Oui, toi. *(Elle s'approche de lui.)* Tes envies ont un fond simple, enfantin, égoïste ; en un mot, elles sont très saines. Tu ne dissimules rien de pervers ni de tortueux. Tu ne recherches que ce qui te donne du plaisir.

RICHARD. Tandis que toi…

DIANE *(violente)*. Moi ? Personne ne sait de quoi je suis capable.

Il la regarde, un moment impressionné. Puis il secoue la tête en riant.

RICHARD. Quelle comédienne ! J'ai failli te croire…

Elle rit à son tour.

DIANE. Ah bon ?

La tension s'est relâchée.

RICHARD. Soyons sérieux maintenant, revenons à Elina. Que dois-je faire ?

DIANE. Oublie-la. Oublie-les toutes les deux.

RICHARD *(fatigué par ses constantes ambiguïtés)*. Tu me dis ça pour elles ou pour toi ?

DIANE. Pour toi. Tu perds ton temps. Ces femmeslà, la pauvreté et le malheur les ont hissées à un niveau de vertu où tu ne peux plus les atteindre.

RICHARD. Si.

Diane se lève, excédée.

DIANE. N'y songe pas, Richard.

RICHARD. Si ! J'y arriverai. Je pense que je lui plais. Je l'aurai !

DIANE. Même pas en rêve !

RICHARD. Tu ne me connais pas !

DIANE. Si, je te connais…

RICHARD. Lorsque je veux une femme, je l'ai !

Un malaise s'installe entre eux.

8

MANSARDE

Dans l'appartement au plafond bas troué par un vasistas, Rodica et Elina se tiennent, comme deux écolières impatientes, en face de Diane qui lit des documents.

ELINA. Cette fois-ci, on accepte.

RODICA. En tout cas, moi, je ne le retiens plus : j'ouvre la cage.

Arrivée au paragraphe final, Diane leur rend les feuilles.

DIANE. C'est non !

ELINA. Quoi !

RODICA. Enfin, madame Pommeray, il nous offre une maison à chacune. Une dans le Midi pour moi. Une pour Elina à Paris. Deux maisons ! Vous avez les actes notariés entre les mains, c'est clair, il n'y a pas d'entourloupe.

DIANE. Refusez.

RODICA. On ne peut pas.

ELINA. Non, on ne peut pas.

RODICA *(râlant)*. On ne m'a jamais proposé autant contre aussi peu.

DIANE. C'est non !

RODICA. C'est assez pour moi.

DIANE. Pas pour moi.

ELINA. Vous allez le tuer. Il a besoin de me voir, il a besoin de m'aimer. Je ne comprends pas ce que vous cherchez. De quoi nous aviez-vous suppliées ? De lui dédier quelques mois de bonheur avant que le cancer ne l'emporte. Ces mois-là, je veux les lui donner au plus vite.

DIANE. Trop tôt.

ELINA. Allons ! Il est malade.

DIANE. Je veux qu'il s'engage davantage.

ELINA. Il n'y a pas de temps à perdre.

DIANE. Calmez-vous. Il y a beaucoup à perdre

en allant trop vite. Aujourd'hui, il vous offre une maison chacune si vous lui dites oui. Imaginez ce qu'il avancera demain si vous refusez encore.

RODICA. Rien.

DIANE. Si. Le mariage.

Les deux femmes demeurent interdites.

DIANE. Richard possède une fortune immense et manque d'héritiers directs. Si Elina l'épousait, elle serait bientôt bénéficiaire de plusieurs millions.

ELINA *(sincère)*. Mais je ne veux pas !

DIANE. Ne soyez pas sotte ! Préférez-vous que des neveux par alliance ou l'État reçoivent cet argent ? Si vous employez les dernières semaines de sa vie à jouer le rôle de son amante et de son infirmière, autant être rémunérée pour cela, non ?

RODICA. Ça ne me regarde pas, Elina, mais Madame Pommeray calcule juste. La tâche sera la même, le bénéfice plus important.

Elina se tord les mains.

ELINA. Non, j'ai hâte de lui rendre un peu d'amour, un peu d'attention. Laissons tomber cette idée de mariage.

DIANE. Vous m'obéissez.

ELINA. Je suis désolée de ne pas pouvoir.

DIANE. Elina, vous n'êtes là que par ma volonté et vous avez juré de m'obéir. Si vous reculez, je lui révèle tout.

ELINA *(avec violence)*. Non !

DIANE. Je lui dis tout.

Elina baisse la tête, contrainte de céder.

9

DEUX TÉLÉPHONES DANS LA NUIT

Deux lampes isolent deux téléphones dans l'obscurité : celui de Richard et celui de Diane.

Richard, en pardessus, une valise à la main, affiche un air sombre, souffre d'une respiration oppressée.

En revanche, dans son coin, Diane semble à son aise.

On entend une pluie torrentielle alentour.

RICHARD. Je pars. Je quitte la France.

DIANE. Où vas-tu ?

RICHARD. J'ai acheté un billet pour le bout du monde.

DIANE. Puis-je te demander pourquoi ?

RICHARD. Je préfère ne pas te répondre.

DIANE. Ah… c'est à cause d'elle… Elina ?

RICHARD. Je ne veux pas en parler.

DIANE. Où est-ce, le bout du monde ?

RICHARD. Le désert du Hoggar. Au Niger.

DIANE. Tu ne penses pas que c'est loin pour un simple rhume sentimental ?

RICHARD. Je t'informe, je ne commente pas.

DIANE. Bien.

RICHARD. Au revoir Diane.

DIANE. Au revoir, Richard. Prends soin de toi. Prends extrêmement soin de toi. Et appelle-moi à ton retour : j'irai t'accueillir à l'aéroport.

RICHARD. Ce n'est pas la peine.

DIANE. Si. J'y tiens. Juré ?

RICHARD. Juré.

10

CHEZ DIANE

Nuit au-dehors.

Lumière tamisée dans l'appartement.

Répondant au coup de sonnette, Diane laisse pénétrer Rodica. Peu ravie de la voir, elle l'accueille à reculons.

DIANE. Je déteste ce genre d'initiative. Vous savez que je ne tiens pas à ce que vous veniez ici.

RODICA. Elina menace de se jeter par la fenêtre si je ne lui rapporte pas des nouvelles de Richard.

DIANE. Vous devez résister au chantage d'Elina.

RODICA. Je voudrais vous y voir... Elle n'arrête pas de pleurer depuis trois semaines. *(Changeant de ton.)* Où est Richard ?

DIANE. Je vous l'ai déjà dit. En Afrique.

RODICA. Quand rentre-t-il ?

DIANE. Ce soir. Il vient de m'appeler de l'aéroport.

RODICA. Enfin !

DIANE. Il va passer ici. Je ne tiens pas à ce qu'il vous voie.

RODICA. Dans un appartement pareil, il doit y avoir une sortie de service, non ?

DIANE. Oui, pourquoi ?

RODICA. S'il sonne, je m'éclipserai.

Sans attendre d'y être invitée, Rodica s'installe dans un fauteuil et croise les jambes.

RODICA. Maintenant, on arrête les simagrées. Je veux savoir ce qui se trafique. *(Elle dévisage Diane avec précision.)* Qui êtes-vous ?

DIANE. Je ne suis rien d'autre que ce que je fais.

RODICA. Que faites-vous justement ?

DIANE. Je sauve deux femmes de la prostitution et j'embellis la vie d'un homme qui va mourir.

RODICA. Je n'arrive pas à vous croire.

DIANE. Trop idéaliste, selon vous ?

RODICA. Je ne crois qu'au vice, au calcul, à l'intérêt, aux petites jouissances, au mal qui procure du bien. Dans ma vie, je n'ai rien vu de différent. Je n'ai rencontré que la laideur.

DIANE. Et la beauté d'Elina ?

RODICA. Ça aussi, c'est de la laideur. Cette beauté, ce fut sa poisse, sa malédiction, à Elina.

DIANE. Je vous plains, Rodica.

RODICA. Je ne supporte pas qu'on me plaigne.

DIANE. De cela aussi, je vous plains.

Rodica, furieuse, s'approche d'elle et la saisit par le bras.

RODICA. Cessez de mentir : pourquoi agissez-vous ainsi ? Nous arracher au trottoir, nous présenter Richard, le chauffer, le refroidir, attendre ! Pourquoi ?

DIANE. Rodica, vous êtes si habituée à subir que vous ne croyez pas aux bonnes intentions des gens.

RODICA. Pas aux vôtres, non. *(Un temps.)* Je vais vous dire ce que vous êtes : vous êtes mauvaise.

Diane lui éclate de rire au nez.
Rodica continue, impitoyable :

RODICA. Vous ne voulez pas nous aider mais vous servir de nous. Vous ne voulez pas rendre Richard heureux, mais malheureux.

DIANE *(crânant)*. Et pourquoi ?

RODICA. Parce qu'il a cessé de vous désirer. Vous tenez à ce qu'il souffre. Fort. Longtemps. Davantage que vous.

DIANE. Simpliste, non ?

RODICA. Quand une femme ne tient debout que soutenue par l'amour et que cet amour lui est brusquement retiré, si elle ne veut pas tomber, elle doit remplacer ce sentiment par un autre aussi fort : la haine. Vous vous vengez.

Diane hausse les épaules.

RODICA. Et vous avez raison. C'est bon, la haine, c'est chaud, c'est solide, c'est sûr. À l'opposé de l'amour, on ne doute pas, dans la haine. Jamais. Je ne connais rien de plus fidèle que la haine. Le seul sentiment qui ne trahit pas.

Diane détourne le visage.

RODICA. Si, si. On gagne au change, à sauter de l'amour à la haine. Comme je vous approuve. Vous savez quoi ? Vous me devenez beaucoup plus sympathique.

DIANE. Ah bon ?

RODICA. Une femme qui cherche à se venger d'un homme... n'importe quelle femelle comprend ça. Je vous aiderai. À travers vous, je me vengerai de ceux que je n'ai pas eu le temps de punir.

Diane esquisse un sourire, comme si elle luttait contre la nausée. Rodica lui secoue le bras.

RODICA. Maintenant, lâchez la vérité. Il ne va pas mourir ?

DIANE. Si.

RODICA. Non ! J'ai un œil pour voir les maladies. Autour de chaque personne, j'aperçois de la lumière, comme une auréole : si l'aura est pleine, le bonhomme jouit d'une santé solide ; si l'aura est déchiquetée, il va mourir.

DIANE *(indifférente)*. Très intéressant. Vous devriez ouvrir un cabinet : il y a assez de gogos pour que vous deveniez riche.

RODICA *(véhémente)*. Richard n'est pas malade ! Il ne va pas mourir !

Diane s'éloigne de quelques pas puis considère Rodica avec intérêt. Un sourire s'esquisse sur ses lèvres.

DIANE. Dites-moi, Rodica : vous ne seriez pas amoureuse ?

RODICA. Pardon ?

DIANE. Amoureuse de Richard ? Vous semblez si désireuse qu'il ne meure pas. On croirait qu'on vous blesse personnellement lorsqu'on évoque sa fin…

Touchée, Rodica se redresse, prête à bondir sur Diane telle une furie.

On entend la sonnette.

DIANE. C'est lui. Décampez.

Rodica hésite, puis obéit.

Diane indique la sortie de service.

DIANE. Par là.

RODICA. Vous…

DIANE. Sans bruit. Vite.

Rodica s'esquive.

Diane se recompose une contenance puis va ouvrir à Richard.

Il entre, sombre, les traits creusés, les yeux fixes.

RICHARD *(anticipant sa remarque)*. Je sais : je n'ai pas bonne mine.

Il se rue dans un fauteuil, comme furieux.

DIANE. Bonsoir.

RICHARD *(sans la regarder)*. Ah oui : bonsoir.

Trop préoccupé, Richard, naguère l'homme le plus galant de la terre, a oublié la politesse élémentaire. Fiévreux, il éructe :

RICHARD. Quelle diable de femme !

DIANE. Elina ?

RICHARD. Non, la mère. C'est elle qui manigance derrière ! Elle veut que je me couche devant sa fille.

DIANE. Ça, je crains fort que tu n'obtiennes cette fille qu'à des conditions qui ne sont pas de ton goût.

RICHARD. Je ne peux arracher cette passion de mon cœur.

Diane tressaille. Cette fois, elle comprend que Richard est devenu réellement amoureux d'Elina. Il frappe contre le mur.

RICHARD *(avec violence)*. Or je ne peux pas m'arracher le cœur.

DIANE. Que vas-tu faire ?

RICHARD *(hagard)*. Il me prend des envies de me jeter sous un train puis de courir tant que la terre me portera. Un moment après, la force m'abandonne, je reste comme anéanti, mon cerveau s'embarrasse, je deviens stupide.

Un temps. Il relève la tête, regarde enfin Diane dans les yeux, murmure comme un noyé :

RICHARD. Il vaut mieux épouser que souffrir : j'épouserai.

DIANE. Attention, la décision est grave et demande réflexion.

RICHARD. Il n'y a qu'une réflexion qui vaille : je ne veux pas être davantage malheureux que je ne le suis. Rends-moi ce service, je suis venu pour ça : vois la fille, vois la mère, communique-leur mes intentions.

Il ne soupçonne pas à quel point il choque Diane.

DIANE. Quoi ? C'est à moi de leur proposer ?

RICHARD. Moi, elles ne me recevront même pas.

DIANE. Débrouille-toi sans moi, je déteste le rôle que tu m'attribues.

Il fond sur elle, l'enlace et utilise son ascendant physique pour l'empêcher de résister.

RICHARD. Diane, si tu m'abandonnes, je suis perdu. Si tu ne me précèdes pas, j'irai là-bas, je forcerai leur porte, j'entrerai malgré la mère et dans l'état de violence où je suis, je ne sais... *(Avec émotion.)* Je t'en conjure, Diane, au nom de notre amitié.

DIANE. D'accord.

Il lui baise les mains avec effusion.

DIANE *(embarrassée)*. Eh bien, ne suis-je pas bonne ? Trouve une autre femme qui en ferait autant !

RICHARD. Merci. Tu es ma seule véritable amie. Quand vas-tu les voir ?

DIANE. Dès demain.

RICHARD *(l'implorant avec tendresse)*. Demain ? Demain soir ? Demain après-midi ?

DIANE *(cédant)*. Demain matin !

RICHARD. Merci, Diane, merci. Tu me sauves la vie. Je vais dormir un peu. Ou du moins essayer, cette fois.

Il l'embrasse et sort.

Diane demeure soucieuse.

Après quelques secondes, Madame Pommeray s'avance en tripotant les piles de sa prothèse auditive.

MADAME POMMERAY. Ah, tu es seule ? Il m'avait semblé entendre des voix.

Dépitée, elle donne une légère tape à son appareil.

MADAME POMMERAY. Mon médecin prétend que je deviens sourde alors que c'est tout le contraire : j'entends des voix que personne n'entend.

Diane ne réagit pas.

MADAME POMMERAY. Au fond, Tirésias, le devin de l'Antiquité, était comme cela : un voyant aveugle. Crois-tu que je devrais mettre une plaque sur ton palier : « Madame Tirésias, écouteuse de silence, capteuse de voix éteintes, sondeuse d'âmes disparues » ? Ça pourrait arrondir mes revenus…

Elle constate que sa fille, plongée dans ses pensées, ne cille pas.

MADAME POMMERAY. Toi, tu n'es pas sourde mais tu n'écoutes pas. *(Agitant ses mains.)* Coucou, c'est moi la fée Clochette !

N'obtenant pas de réponse, elle frappe dans ses mains. Diane se réveille.

MADAME POMMERAY. Tu as une drôle de tête. Tu as l'air sombre.

DIANE. Oui. Je viens de perdre tout le respect qu'il me restait pour l'amour.

11

MANSARDE

À l'aube, Rodica et Elina parcourent leur modeste appartement avec nervosité. Tendues d'impatience, les deux femmes bondissent vers la porte dès qu'elles entendent les pas de Diane.

ELINA. Richard est revenu ?

DIANE. Oui.

ELINA. En bonne santé ?

DIANE. Non, il a mauvaise mine.

ELINA. Ah mon Dieu…

DIANE. Je l'ai trouvé fatigué. Très… Le mal progresse…

Elle insiste sur ces mots en fixant Rodica qui baisse la tête, gênée d'avoir émis des soupçons la veille.

ELINA. Il m'a oubliée ?

DIANE. Il a essayé. *(Un temps.)* Il n'y est pas arrivé.

Elle se retourne et ouvre ses bras en direction d'Elina.

DIANE. Il veut vous épouser, Elina.

Elina pousse un hurlement de joie puis s'élance vers Diane, l'embrassant avec gratitude.

Après quelques secondes d'hésitation, Rodica bafouille, honteuse, à Diane :

RODICA. Excusez-moi. Je me suis trompée. Sur toute la ligne. Comme d'habitude. C'est l'histoire de ma vie, ça : les erreurs.

12

CHAMBRE DE DIANE

La musique de la *Marche nuptiale* retentit.

Diane, devant la fenêtre d'où coule un triste crépuscule, boit seule, sans joie, un verre de whisky. Peut-être n'est-ce pas le premier...

Intriguée par le bruit, Madame Pommeray pénètre dans la chambre, s'approche avec curiosité des haut-parleurs, croit qu'elle se méprend, tripote sa prothèse acoustique, puis vérifie qu'elle entend bien ce qu'elle entend.

MADAME POMMERAY. Je ne me trompe pas : tu écoutes la *Marche nuptiale* ?

DIANE. Oui. C'est la musique la plus comique que je connaisse.

MADAME POMMERAY. Tu ne confonds pas avec la musique militaire ?

DIANE. Non.

MADAME POMMERAY. Tu sais que ces accords, ma petite fille, c'est ce que l'orgue joue lorsque le monsieur habillé en pingouin et la dame déguisée en meringue se rendent vers l'autel où le curé va les unir ?

DIANE. Oui.

MADAME POMMERAY. Ah ! Tu trouves ça drôle ?

DIANE. C'est ironique, cette joyeuse ritournelle avant chaque grande catastrophe...

Madame Pommeray hausse les épaules.

MADAME POMMERAY. J'en conclus que tu as encore refusé la demande en mariage de Richard ?

DIANE. Tu conclus bien.

MADAME POMMERAY. Ma pauvre fille... Enfin... Il y aurait trop long à dire... je préfère me taire...

DIANE. Va te coucher, maman.

MADAME POMMERAY. As-tu transmis mon message à Richard ? Cesser de te donner rendez-vous chez lui ? Je ne le vois plus ces derniers temps, plus du tout. Vous êtes trop égoïstes, vous deux. Il me manque.

DIANE. Oui, je lui ai transmis ta plainte. Il te prie de l'excuser.

MADAME POMMERAY *(abasourdie)*. Il me prie de l'excuser ? *(Elle soupire.)* Il me prie de l'excuser... Ah, ne vieillis pas, ma fille, surtout ne fais pas comme moi : ne vieillis pas.

Elle sort.
Diane va interrompre la musique de mariage lorsque le téléphone sonne.

DIANE. Allô ? Ah, Richard... Ça se passe bien ? Merveilleux. Non, n'insiste pas. Je sais, Richard, je sais qu'Elina et toi vous aviez envie que je sois avec vous aujourd'hui mais – je te l'ai expliqué – je ne me sens pas capable d'affronter ceux qui croient que j'aurais voulu être à sa place. Si... Ne ris pas. Certains le pensent. Oui, toi tu sais que non puisque j'ai toujours refusé tes propositions... je ne désire pas laisser traîner ce genre de regard sur moi, pitié ou ironie, peu importe. Voilà. Bon mariage à vous deux. Je vous souhaite tout le bonheur du monde. Embrasse Elina de ma part. De ma part, c'est-à-dire sur les joues, d'accord ? À bientôt.

Après avoir raccroché, elle met la musique plus fort et se ressert un verre de whisky.

13

CHEZ RICHARD

La même *Marche nuptiale*, mais langoureuse, cajolante, traitée de façon jazzy.

Richard apparaît en robe de chambre, heureux, décoiffé, les yeux brillants et lourds, le corps épuisé par la meilleure des fatigues, celle qui succède à une longue nuit ardente.

Il est dix heures du matin.

Richard prépare un plateau de petit déjeuner à l'intention d'Elina, en commençant par déposer une fleur dans un verre.

Soudain, on sonne à la porte. Il jette un œil sur l'écran de contrôle et constate qu'il s'agit de Diane.

Stupéfait, il actionne néanmoins le bouton d'entrée.

Pendant qu'elle arrive, il continue à se comporter en amoureux qui confectionne un plateau pour sa femme restée au lit.

Diane le rejoint.

RICHARD. Diane… je… je suis surpris…

DIANE. Je te dérange ?

RICHARD *(riant)*. C'est le matin de ma nuit de noces !

DIANE. Je le sais.

RICHARD. Que se passe-t-il ?

DIANE. Ça, justement. Je viens te demander comment s'est déroulée ta nuit de noces.

RICHARD. Mais… mais… *(Riant.)* Tu es venue pour ça ?

DIANE. Oui.

RICHARD. Rien que pour ça ?

DIANE. Oui.

RICHARD *(soufflé)*. Tu es incroyable… *(Répondant à la question.)* Bien, très bien. Magnifique.

Gêné, il préfère continuer à préparer son plateau.

Diane se perche sur le rebord d'un siège.

DIANE. Comment était Elina ?

RICHARD. Diane !...

DIANE. Très timide ? Très amoureuse ? Très sensuelle ? Très réservée ?

RICHARD *(éclatant de rire afin de masquer sa gêne)*. Un peu de tout cela. *(Se reprenant.)* Excuse-moi, c'est... c'est ma vie privée...

Diane frémit à cette expression.

RICHARD. C'est... c'est intime... et ta curiosité me déconcerte...

DIANE *(avec brusquerie)*. A-t-elle saigné ?

RICHARD *(choqué)*. Pardon ?

DIANE. Tu m'as entendue, Richard : je te demande si elle a saigné.

RICHARD. Mais... *(embarrassé)*... oui, naturellement.

Du coup, interrompant sa préparation, il engloutit un verre d'eau pour se remettre de cet étrange interrogatoire.

Après avoir bu, il se sent plus réveillé et la regarde avec inquiétude.

DIANE. Au fond, tant mieux.

RICHARD. Diane, tu deviens folle.

DIANE. Non, je vérifie qu'Elina, en toute circonstance, se comporte d'une manière professionnelle.

RICHARD. Que dis-tu ?

DIANE. Rusée jusque dans les moindres détails.

RICHARD. Diane, tu ne m'amuses plus !

DIANE. Je m'en doute. Je suis là pour ça, justement.

RICHARD. De quoi parles-tu ?

DIANE. Je parle de l'ancien métier de ta femme.

Elle extrait de son sac un classeur qu'elle lui tend.

DIANE. J'aimerais que tu lises ça.

RICHARD. Qu'est-ce ?

DIANE. Un dossier. Constitué par quelqu'un de

mon cabinet. Qui montre clairement qu'avant de te connaître, Elina se prostituait.

RICHARD. Pardon ?

DIANE. Lis.

Elle lui fourgue le document dans les mains. Il le refuse.

RICHARD. Non.

DIANE. Toutes les preuves sont réunies.

Elle ouvre le document, lui en inflige la vue et en détaille les éléments.

DIANE. Des photos. Elle a été arrêtée de nombreuses fois pour racolage. Plusieurs amendes aussi. Une professionnelle.

RICHARD. Non, non !

Il repousse le dossier, tremblant, choqué.

RICHARD. Je… je ne peux pas y croire.

DIANE *(le corrigeant)*. Tu ne veux pas y croire.

Pourtant ces documents sont formels. On me les a remis ce matin. Trop tard.

Il ressaisit les feuilles, les écarte, les reprend, puis soudain se laisse tomber sur les genoux, à même le sol, en gémissant.

RICHARD. Qu'est-ce que j'ai fait ? Mon Dieu, qu'est-ce que j'ai fait ?

Diane le contemple avec satisfaction. Il échoue à formuler son trouble.

RICHARD. Comment ai-je pu ne pas m'en douter ? Aller aussi loin ?

DIANE. L'aveuglement.

RICHARD. C'est la plus grande erreur de ma vie.

DIANE *(cinglante)*. Je ne crois pas.

Il redresse la tête vers elle, désemparé.

DIANE. La plus grande erreur a été de m'abandonner, moi.

RICHARD. Oui… sans cela, rien ne serait arrivé.

DIANE. Exactement : rien ne serait arrivé. *(Elle se lève et le toise.)* Si tu ne m'avais pas abandonnée, je n'aurais pas été obligée d'aller chercher cette grue sur les trottoirs, de l'installer dans un appartement et d'inventer cette histoire d'étudiante pauvre, surveillée par sa digne mère ruinée. Une farce pathétique !

Elle tire un deuxième classeur de son sac.

DIANE. Tiens, le dossier de Rodica. Une pute elle aussi. Et pas plus la mère d'Elina que moi celle du pape.

Elle propulse le document devant lui. Richard, balbutiant, ne comprend plus rien... Incapable de se contrôler, Diane libère soudain la colère qui bouillonnait en elle depuis des mois.

DIANE. Un jour, tu m'as annoncé que tu ne m'aimais plus. Figure-toi que je m'en doutais, ou plutôt que je le craignais. Cependant, pour sauver la face, j'ai prétendu glisser sur la même pente descendante que toi. Soulagé, tu m'as promis ton amitié. Ton amitié ! Je n'en voulais pas de ton amitié ! C'était ton amour ou rien. J'ai donc décidé de me venger. *(Avec rage.)* C'est moi ! C'est moi qui ai organisé cette mascarade, dans laquelle, je dois te rendre hommage, tu as plongé à pieds joints ! J'aurais pu te le cacher mais ma volupté, ma délectation, c'est de te le dire.

RICHARD. Pourquoi ? Pourquoi ?

DIANE. Tout simplement parce que je te hais.

Il se relève, violent lui aussi. On a l'impression qu'il va la frapper.

Ils se font face, ils se toisent, elle lui tient tête.

RICHARD. Moi aussi je te hais.

DIANE. Enfin !

Il est démangé par l'envie de la frapper mais il se maîtrise.

La tension entre eux est intenable.

RICHARD. Je n'aime pas ma haine.

DIANE. Moi aussi, je me déteste de te haïr mais je ne parviens pas à m'en empêcher ; alors, je me suis arrangée.

RICHARD *(avec douleur)*. Diane, tu es une salope !

DIANE. Qui m'a rendue méchante ?

Elle fonce vers la porte puis s'arrête sur le palier.

DIANE. Déteste-moi. Déteste-moi bien, s'il te plaît. Bienvenue au royaume des abusés, Richard. Je t'y attendais, toute seule dans l'ombre, depuis des mois. Je suis ravie de t'y accueillir. J'espère que tu y souffriras autant que moi, sinon davantage.

Elle disparaît.
Richard demeure comme hébété.
Quelques secondes plus tard, Elina surgit, en robe de nuit, légère, soyeuse, amoureuse.

ELINA. Richard… tu es déjà levé…

Il ne répond pas.
Elle le rejoint.

ELINA. Mon chéri, à qui parlais-tu ?

Elle veut se blottir contre lui.

Étrangement, il la laisse approcher.

Mieux, il la saisit entre ses bras, l'embrasse avec force sur la bouche. Un long baiser. Un baiser plein de passion. Un baiser qui surprend même Elina tant il est intense.

Puis, cette étreinte achevée, il la repousse avec douceur.

RICHARD. Voilà, c'était la dernière fois.

Elle veut revenir contre lui. Il refuse.

ELINA. Richard…

RICHARD *(d'une voix brisée)*. C'est fini.

Il parcourt la pièce en quelques enjambées désordonnées. Dès qu'elle va à sa rencontre, il lui fait signe de reculer, cherchant un endroit où se réfugier.

ELINA. Richard, que se passe-t-il ?

Il secoue la tête, incapable de répondre.

ELINA. Je ne te plais plus ?

RICHARD *(les larmes aux yeux)*. Si…

ELINA. Ce n'était pas bien, cette nuit ?

RICHARD *(encore plus perturbé)*. Si…

Elle l'enlace. Il l'évite, comme effrayé par elle.

ELINA. Qu'ai-je fait ?

RICHARD. Tu… je…

Il promène les yeux autour de lui et achève d'une voix mal assurée :

RICHARD. Ce n'est pas toi qui pars, c'est moi.

ELINA. Richard…

RICHARD. Oui, tu garderas cet appartement. Je ne l'ai jamais apprécié mais, depuis cette nuit, j'y ai un trop bon souvenir.

Richard tremble. Ses yeux se remplissent de larmes. Il est devenu un enfant qui subit une colossale injustice : il aime Elina et il doit la quitter.

RICHARD. Adieu, Elina. Tu recevras les papiers du divorce.

ELINA. Richard ! Richard !

Lorsqu'elle se jette vers lui, il l'arrête, lui désigne, d'une main qui vacille, les documents qui jonchent le sol.

À terre, elle découvre les dossiers apportés par Diane ; d'un regard, elle comprend.

Elle s'affaisse et lance un cri de détresse :

ELINA. Non !

14

CHAMBRE DE DIANE

Diane, lovée sur son lit, écoute distraitement de la musique.

Sa mère entre, nerveuse, dans l'état de celle qui tourne en rond depuis longtemps.

MADAME POMMERAY. Je n'ai plus de mots croisés.

Diane lui tend quelques journaux qu'elle avait mis de côté au pied du lit.

DIANE. Tiens, j'y avais pensé.

Madame Pommeray les reçoit puis, furieuse, les balance au loin.

MADAME POMMERAY. J'en ai assez des mots croisés.

Diane remarque alors l'extrême instabilité de sa mère.

DIANE. Maman, que se passe-t-il ?

MADAME POMMERAY. Pourquoi Richard ne vient-il plus ?

DIANE. Je te l'ai déjà rabâché cent fois : il se trouve en Afrique depuis deux mois.

MADAME POMMERAY. Tu mens.

DIANE. Maman !

MADAME POMMERAY. Tu mens ! S'il était parti en voyage, il serait venu m'embrasser.

DIANE. Il m'a demandé de te l'annoncer. Cent unième édition.

MADAME POMMERAY. Tu mens !

DIANE. Maman !

MADAME POMMERAY. Tu mens !

DIANE *(émue)*. Maman, je t'interdis de me parler comme ça.

MADAME POMMERAY. Je sens qu'il est arrivé un malheur à Richard. Un malheur que tu me caches. Confie-moi la vérité, Diane, la vérité.

DIANE. Après tout… *(Un temps.)* Nous nous sommes séparés.

MADAME POMMERAY. Séparés ? Que lui as-tu fait ? Que lui as-tu dit ?

DIANE. Maman… il a provoqué la rupture, pas moi.

MADAME POMMERAY. Ttt, tt, s'il est parti, c'est que tu l'as éloigné. Je te connais, ma pauvre fille, incapable de retenir un homme, trop fière, trop orgueilleuse. Tiens, il aurait mieux valu que tu sois laide, au moins tu aurais eu une juste excuse pour épouvanter les hommes.

DIANE. Cesse de me reprocher mes rapports aux hommes ! Les hommes ! Les hommes ! Il y a d'autres buts, dans la vie !

MADAME POMMERAY. Ah, tu vois, c'est de ta faute, tu l'admets toi-même !

DIANE. Oui, je n'ai pas envie de minauder devant les hommes, de battre des cils, de leur chercher leurs pantoufles, d'avaler leurs mensonges, de me soumettre à leurs caprices. Grâce à mon métier, je me suis consacrée à des tâches plus capitales ; je crois que, par certaines décisions que j'ai prises ou que j'ai déclenchées, j'ai rendu des centaines d'hommes et de femmes heureux !

MADAME POMMERAY. Des centaines sans doute, des milliers plus sûrement, je n'en doute pas car tu es un personnage politique important. Mais ta mère ? Diane, ta mère ? L'as-tu rendue heureuse ?

DIANE *(les larmes aux yeux)*. Maman…

MADAME POMMERAY. Et moi, oui, moi, as-tu un seul instant pensé à moi en te séparant de Richard ?

DIANE. Enfin, Maman…

MADAME POMMERAY. Je l'aimais, moi, Richard. C'était mon dernier béguin. Oh, je ne t'arrachais rien, j'en profitais, c'est tout. Sans un homme, sans un bel homme dans mes environs, je me dessèche, je perds le goût, je n'ai plus envie de vivre. Lorsque Richard est survenu, j'ai cessé de souhaiter mourir. C'est idiot ? C'est comme ça. Je ne suis pas une femme de tête, comme toi, une intellectuelle ; je ne suis qu'une minuscule créature féminine, avec des idées très conventionnelles, des plumes et une cervelle d'oiseau.

Sans homme, je dépéris. Et voilà que tu m'enlèves Richard !

DIANE. Maman, tu es monstrueuse ! Je n'allais pas garder Richard pour toi.

MADAME POMMERAY. Tu as raison : tu n'allais pas garder Richard pour moi. Alors ce qui me démolit, c'est que je n'ai pas pesé un gramme dans sa décision car, en te quittant, il me quittait aussi, sans regretter mes plaisanteries, mes taquineries, mes sourires. Merci, ma fille, vraiment merci, tu viens de me confirmer ce que je n'osais pas m'avouer : je ne suis qu'une vieille toupie sans intérêt qui n'amuse plus personne. À partir de maintenant, j'ai cent ans ! Je demeurerai seule à jamais ! Joyeux anniversaire !

DIANE. Maman... je suis là, moi. Et je t'aime...

MADAME POMMERAY *(sans écouter)*. Pourquoi ai-je fait une fille, pas un garçon ? Ah, si on pouvait choisir ces choses-là...

DIANE. Maman !

MADAME POMMERAY. J'aurais tant aimé qu'un garçon sorte de mon ventre. Avec un sexe, des testicules et de grands pieds. De mon ventre ! Pour le coup, ça m'aurait épatée : au lieu de ça, ça a été toi. Quelle misère ! Certes, tu es un peu garçon manqué mais garçon manqué, ça veut bien dire ce que ça veut dire : « garçon manqué », c'est-à-dire pas garçon et complètement manqué. Ah oui, d'un garçon, tu as les caractéristiques : la pugnacité, le sens du combat, l'ambition professionnelle, l'autonomie, la sécheresse du cœur… Les défauts ! Rien que les défauts. Pas les qualités.

DIANE. Maman, te rends-tu compte de ce que…

MADAME POMMERAY. Tais-toi ! Tu restes une fille ! Une fille ! Et tu ne m'apportes pas de fiancés, pas d'amants, pas de gendres. Ni même des petits-fils. Inutile ! Définitivement inutile !

Elle s'en va, laissant Diane effondrée.

15

RUE

Rodica effectue les cent pas sur le trottoir, guettant une porte.

Soudain Richard, son manteau sur les épaules, quitte l'immeuble cossu où il loge. Au moment de franchir le seuil, il découvre Rodica qui l'attend sur le palier.

Il marque un arrêt lorsqu'il la voit.

RICHARD. Comment osez-vous ?

RODICA. Vous me détestez ? Correct ! Moi aussi, si on m'avait fait ce que l'on vous a fait, j'aurais envie de vous foutre sur la gueule.

RICHARD. Nous sommes donc d'accord.

Alors qu'il veut passer, elle se met en travers de son chemin.

RODICA. J'ai quelque chose à vous apprendre. Quelque chose d'essentiel.

Il lui intime de s'écarter.

RICHARD. Adieu.

RODICA. S'il vous plaît. C'est encore plus important pour vous que pour moi.

RICHARD. Adieu.

RODICA. Nom de Dieu, essayez de comprendre que si je viens vers vous, faut qu'il y ait une bonne raison, je ne suis pas masochiste.

RICHARD *(sceptique)*. Oh, quand on exerce votre métier…

RODICA. D'accord, je suis une pute, d'accord, je vous ai menti depuis le premier jour, mais j'avais une excuse : on me l'avait demandé.

RICHARD. Je suis au courant, adieu.

Elle se jette contre lui afin de le retenir.

RODICA *(avec violence)*. Avez-vous un cancer, oui ou non ?

RICHARD. Pardon ?

RODICA. Avez-vous un cancer ?

Il tombe des nues.

RICHARD. Mais non.

Profitant de l'étonnement sincère de Richard, Rodica essaie d'aller plus loin.

RODICA. Écoutez, Elina n'a accepté de jouer cette comédie que parce que Madame Pommeray nous avait convaincues que vous n'aviez plus que quelques mois à vivre. Elina devait vous offrir quelques semaines de bonheur avant la fin ; elle s'est tellement appliquée qu'elle est tombée amoureuse de vous.

RICHARD. Qu'est-ce que ça change ?

RODICA. Tout.

RICHARD. Rien. Elle demeure une menteuse.

RODICA. Ça n'avait pas d'importance, puisque vous deviez mourir. Madame Pommeray nous en avait persuadées. Même qu'on se sentait moins sales à cause de ça.

RICHARD. Pourquoi me dites-vous ça ? Vous et pas Elina ?

RODICA. Parce qu'elle a juré de se taire. Elle préfère que vous la méprisiez plutôt que vous apprendre que vous êtes malade.

RICHARD. Mais je ne suis pas malade !

RODICA. Vrai ?

RICHARD. Mais oui ! J'en suis sûr.

RODICA. C'est ce que je pensais : vous n'êtes pas malade.

RICHARD. Mais oui ! *(Piqué par le doute.)* Enfin, je le crois… je l'espère… je…

Soudain altéré, dévoré d'inquiétude, il se met à bafouiller en palpant son dos dont il souffre.

RICHARD. Je ne suis pas malade… Enfin… pas à ce point-là…

RODICA. Non, c'est ce que je voyais aussi : vous n'allez pas mourir…

RICHARD. Moi, mourir ?

Comme si l'inquiétude de Richard était contagieuse, Rodica revient en arrière.

RODICA. Avez-vous passé un scanner et subi une série d'examens il y a quelques mois ?

RICHARD. Oui. Mais les résultats se sont révélés négatifs… je n'ai pas de cancer.

RODICA. Pourquoi avez-vous mal au dos ?

RICHARD. Des douleurs intermittentes. Une scoliose qui date de l'enfance. Rien de nouveau.

RODICA *(pas convaincue mais feignant de l'être)*. Dans ce cas…

Richard panique soudain.

RICHARD. On m'aurait informé, tout de même, non !

RODICA. Pas obligé.

RICHARD. Si… on me l'aurait dit… Les médecins… Diane… On ne ment pas autant à quelqu'un ?

RODICA *(sceptique)*. Ça !

Richard porte ses mains à ses lombaires qui lui font mal.

RICHARD. Je vais bien… *(le répétant pour se convaincre)*… je vais bien… je ne suis pas malade… je vais bien…

En réalité, il transpire d'angoisse.

16

JARDIN PUBLIC

Elina attend sur un banc, au milieu d'un parc vert, fleuri, résonnant de cris d'enfants.

Richard apparaît.

Émus de se revoir, ils se scrutent avec gêne et restent debout, à distance respectueuse.

RICHARD. Que deviens-tu ?

ELINA. Je travaille dans une boulangerie.

Un temps.

Elle ose à peine le regarder.

ELINA. Et toi ? Tu étais parti…

RICHARD. Oui. Je rentre de voyage. L'Afrique.

ELINA. L'Afrique ? Encore l'Afrique ! Ça ne t'a pas trop fatigué ?

RICHARD. Non. Reposé.

ELINA. Tu te sens bien ?

RICHARD. Physiquement ?

ELINA. Oui ?

RICHARD. Oui.

Elina enregistre l'information avec soin.

ELINA. Et ton dos ?

RICHARD. Elina, tu me demandes des nouvelles comme le ferait une infirmière : tu me crois malade ?

ELINA. Pas du tout. Excuse-moi.

Richard la contemple, presque reconnaissant du soin avec lequel elle a menti.

RICHARD. Sais-tu pourquoi j'ai voulu te revoir ?

ELINA *(frissonnant)*. Non.

RICHARD. Parce que je n'ai pas écouté tes explications.

Elina se décompose.

RICHARD *(avec douceur)*. Comment te justifies-tu à tes yeux ? Car je suppose que tu ne t'estimes pas coupable…

ELINA. Si.

RICHARD. Non.

ELINA. Si.

RICHARD. L'être humain est si merveilleusement constitué qu'il rejette ses fautes sur les autres ; sinon, il se trouve des circonstances atténuantes.

ELINA. Pas moi.

RICHARD. Elina, je souhaiterais apprendre comment tu te racontes notre histoire.

Elle le dévisage avec inquiétude et bluffe.

ELINA. Comme toi !

RICHARD *(avec douceur)*. Tu me mens.

Elina baisse la tête, comme vaincue, sans démentir.

RICHARD. Selon toi, m'as-tu trahi ?

ELINA. J'ai été sincère. Tout le temps. Alors que je devais simuler, je suis tombée amoureuse de toi. Et j'ai voulu que tu sois heureux, Richard, de tout mon cœur. Il y a même des moments où j'oubliais ce que j'avais été. *(Elle se tourne vers lui.)* Je n'en avais pas le droit, je sais, et mon tort a été de te le cacher, mais en dehors de ça, j'étais sincère. Oh, si tu pouvais me croire…

RICHARD. Pourtant, tu te doutais que la vérité surgirait un jour ? *(Elle se tait.)* Non ?

ELINA. Je te l'aurais cachée aussi longtemps que possible.

RICHARD. Jusqu'à ma mort ?

ELINA *(corrigeant avec angoisse)*. Jusqu'à ma mort !

Il la scrute. Elle l'évite.

Attendri par le mensonge maladroit d'Elina, il se détend.

RICHARD. Elina, j'ai deux choses à te dire.

Elina baisse les yeux.

RICHARD. La première, c'est que j'ai appris le secret concernant mon… état de santé.

Elina panique.

ELINA. Quoi ? Tu sais ?

Il opine du chef.

ELINA. Comment ? Parce que tu as mal ? Tu souffres ?

RICHARD. Rodica me l'a avoué.

ELINA. Quelle idiote ! Non, elle n'en avait pas le droit !

Richard prend sa respiration et lui annonce avec calme :

RICHARD. Elina, je viens de subir de nouveaux examens, j'ai vérifié : je suis en parfaite santé. Voici les analyses.

Elina compulse les papiers.

RICHARD. Comme tu le vois, je n'ai pas de cancer.

ELINA. Mais… mais y a-t-il bien tout ? Je veux dire… est-ce qu'on ne pourrait pas te dissimuler un élément ?

RICHARD. Lis la conclusion signée du Professeur Martin, spécialiste émérite, certifiant qu'il n'y a aucune trace de métastase en moi.

Elina saisit la lettre, la déchiffre, et, presque malgré elle, l'embrasse en la portant contre son cœur.

Richard est renversé par ce geste spontané.

RICHARD. Elina, tu… m'aimes vraiment ?

Il s'approche, la prend dans ses bras bien qu'elle tremble de tout son corps.

Ils joignent leurs lèvres.

17

BAR D'UN GRAND HÔTEL

Dans un cabinet renfoncé, discret, au sein d'un bar chic, Diane, assise derrière une table, boit un verre puis consulte sa montre.

Richard, entrant d'un pas rapide, la rejoint.

DIANE *(sarcastique)*. Quelle exactitude !

RICHARD. Je n'étais pas certain que tu m'attendrais.

DIANE. En effet.

RICHARD. Merci d'avoir accepté ce rendez-vous.

DIANE. Je me demande encore pourquoi je suis venue…

RICHARD. La curiosité ?

Elle le dévisage sans amabilité.

DIANE. Mon pauvre Richard…

Loin de le vexer, ce ton l'amuse.
Un temps.

RICHARD. Tu sais… ?

DIANE. Que tu vis de nouveau avec ta femme ? Qui l'ignore ? Tout Paris en parle ! Ça fait beaucoup rire, d'ailleurs.

RICHARD. Ah oui ?

DIANE. On s'amuse que tu sois tombé si bas.

RICHARD. Prévisible. Après toi, on tombe forcément de haut.

Ils échangent une grimace aigre.

RICHARD. Tout Paris sait-il aussi le rôle que tu as joué dans ce feuilleton ?

DIANE *(mal à l'aise)*. Il ne le saura que si tu le dis.

RICHARD. Sois tranquille. Il me suffit qu'on sache que j'ai épousé une ancienne pute ; inutile qu'on apprenne que je fréquentais auparavant un monstre.

DIANE *(avec un sourire crâne)*. Te croirait-on seulement ?

RICHARD. Veux-tu que j'essaie ?

Elle le fixe avec rudesse.
Il conclut, presque léger :

RICHARD. J'ai l'intention de m'en tenir là.

DIANE. Qui me vaut tant de sollicitude ?

RICHARD. Comment va ta mère ?

DIANE. Très bien. Quel rapport ?

RICHARD. C'est la réponse.

DIANE. La réponse à quoi ?

RICHARD. À ta question : qui me vaut tant de sollicitude ? Je réponds : comment va ta mère ?

DIANE. Tu m'épargnes à cause d'elle ?

RICHARD. Voilà.

DIANE. Elle serait ravie de l'apprendre.

RICHARD. Sauf que tu ne le lui répéteras pas.

Diane agrée sèchement. Richard s'en amuse. Des deux, c'est lui qui domine leur rencontre.

Un temps.

DIANE. Que faisons-nous ici ?

RICHARD. J'ai besoin de t'avouer un détail.

DIANE. Un détail ?

RICHARD. Un détail.

DIANE. J'écoute.

RICHARD. Te rappelles-tu ce jour où tu m'as annoncé que quelque chose avait changé entre nous, où tu m'as confié que tu n'avais plus le même besoin de moi, que tu ne m'attendais pas avec autant d'impatience, que tu bâillais, que tu préférais dormir seule ?

DIANE. Évidemment.

RICHARD. Peut-être as-tu gardé dans l'esprit que je me suis tu un bon moment ?

DIANE. Eh bien ?

RICHARD. Tu ne t'es pas demandé pourquoi ? Je me taisais parce que je n'avais rien remarqué de tel. Ni en toi ni en moi. Un refroidissement ? Où ça ? Pour moi, c'était le printemps, l'été, tout allait au mieux. Et voilà que, devant moi, tu mettais en pièces notre couple, notre bonheur, ce que je croyais notre grand amour… Avec méticulosité, obstination, sans t'arrêter, tu déchirais tout, tu déformais tout, tu tuais tout. J'ai failli m'évanouir. Alors j'ai menti.

DIANE. Quoi ?

RICHARD. J'ai menti, Diane, j'ai crâné, j'ai prétendu que, moi aussi, comme toi, j'aimais moins. Ce n'était pas vrai.

DIANE. Si, c'était vrai !

RICHARD. Non.

DIANE. Si !

RICHARD. Non.

DIANE. Pourquoi aurais-tu menti ?

RICHARD. Par orgueil.

DIANE *(refusant de le croire, elle reçoit la révélation avec ironie)*. Très amusant, ton petit scénario.

RICHARD. Je n'ai pas fini, Diane. Quelques semaines plus tard, j'étais revenu chez toi pour tenter de renouer, de te convaincre que nous devions partir en vacances, reprendre la vie ensemble, recommencer, dépasser un court moment de froideur comme en traverse n'importe quel couple.

DIANE. Tu te moques de moi ?

RICHARD. Ce jour-là, non seulement tu m'as évité en arrivant en retard, mais tu m'as présenté Elina. *(Diane tressaille.)* Présenté ? Que dis-je ? Tu m'as jeté dans ses bras.

DIANE *(se rendant compte)*. Non !

RICHARD. Ne soyons pas hypocrites : elle m'a plu, elle m'a plu tout de suite. Cependant, je ne me serais pas accroché à elle si… Je ne sais comment se passaient nos discussions mais, lorsque je venais te voir, j'en ressortais chaque fois le cerveau à l'envers, avec l'envie encore plus pressante de la conquérir…

DIANE. Tu… tu… tu m'aimais toujours ?

RICHARD. Oui, Diane.

DIANE. Et maintenant ?

RICHARD. Maintenant, j'aime Elina, Elina m'aime. Et notre amour est simple.

Diane, livide, prononce d'une voix mourante :

DIANE. Qu'est-ce que j'ai fait, mon Dieu, qu'est-ce que j'ai fait ?

Elle agrippe Richard avec violence.

DIANE. Richard, je t'en prie. Maintenant que nous savons, retournons en arrière.

RICHARD. Trop tard. Entre êtres humains, on n'appuie pas sur la touche « rejouer ».

DIANE. Si ! Puisque maintenant nous connaissons la réalité.

RICHARD. Non. C'est justement ça, la réalité : ce qu'on ne peut pas rejouer.

Il se lève.
Maladroite, elle se précipite après lui, le rattrape.

DIANE. Richard, et si je m'abaissais à…

RICHARD. Oui ?

DIANE. … te demander… de revenir ?

RICHARD *(choqué)*. T'abaisser ?

Il lui enserre les poignets.

RICHARD. T'abaisser ? Ne vois-tu pas que c'est cela qui n'allait pas dans notre couple.

DIANE. L'orgueil, n'est-ce pas ? J'ai trop d'orgueil.

RICHARD *(avec douceur)*. C'est contagieux, l'orgueil. Si l'un l'attrape, l'autre est contaminé sur-le-champ.

DIANE. C'est ma faute.

RICHARD. Encore ton orgueil ! C'est notre faute.

Il la ramène à la banquette.

RICHARD. Adieu, Diane. Embrasse ta mère pour moi.

Diane baisse la nuque, vaincue, telle une marionnette à fils qu'on range sur une étagère.

DIANE. Richard, te rends-tu compte qu'après cela, il ne me reste plus… qu'à mourir ?

Richard hésite, cherche une réponse, ne la trouve pas et quitte le bar.

18

CHAPELLE ARDENTE

Antichambre d'une chapelle ardente.

Quelques sièges posés çà et là.

À l'intérieur de la pièce attenante – on le devine – un corps gît dans un cercueil. Par la porte, s'échappent des effluves d'encens et une suave musique d'harmonium.

Au loin, dehors, presque étouffées, les lourdes cloches d'une église sonnent, célébrant un enterrement.

Rodica surgit, habillée de noir, empruntée, mal à l'aise. N'osant pas pénétrer dans la chapelle ardente, elle préfère s'arrêter au seuil en s'agitant nerveusement.

Entre ensuite Richard, dont le visage porte les marques d'un vrai, profond chagrin.

En voyant sa mine ravagée, Rodica bondit vers lui pour lui saisir les mains avec effusion.

Richard accepte le geste, comme s'ils partageaient une véritable intimité. Elle lui tapote l'épaule en jetant des regards furtifs autour d'elle.

RODICA. J'ai un de ces cafards !

Richard la considère avec bonté. Du menton, Rodica désigne la pièce attenante.

RODICA. Elle est là. Vous voulez la voir ?

RICHARD. Je n'ai pas le courage. Pas encore.

RODICA. J'espère qu'elle est partie sans souffrir.

RICHARD *(avec violence)*. Ces bêtises qu'on ressasse aux enterrements… « Elle est partie sans souffrir… » Tant mieux ! Mais elle est tout de même partie ! Et si elle avait souffert en mourant, souffririons-nous davantage ?

Rodica, intimidée, ne trouve rien à répondre. À cet instant, Elina arrive, essoufflée.

ELINA. Je ne parvenais pas à garer la voiture. Je suis en retard ?

RICHARD. Promets-moi d'être toujours en retard, ma chérie, avec la mort.

Ils s'embrassent.

Sortant de la chapelle, apparaît Diane, livide, le visage douloureux, le maintien raide à force de contrôle. Lente, silencieuse, tel un grand cygne, elle impressionne autant qu'elle émeut.

Lorsqu'elle voit Richard, elle marque un temps d'arrêt.

Richard tente de lui adresser ses condoléances puis renonce.

Ils se contemplent.

Enfin, Richard, reprenant l'initiative, se penche vers Elina et Rodica.

RICHARD. Allez dans la chapelle ardente, je vous rejoins.

ELINA. Je la connaissais à peine…

RODICA. Je ne suis venue que pour vous accompagner, vous et Elina… je…

RICHARD *(avec douceur)*. Allez. S'il vous plaît.

Rodica et Elina, comprenant qu'elles doivent laisser Richard en tête à tête avec Diane, s'éloignent, discrètes.

Demeurés seuls, Richard et Diane s'observent d'abord sans bouger.

RICHARD. Comment vas-tu ?

DIANE. Maman me manque mais je finirai par m'y habituer.

RICHARD. J'aimais beaucoup ta mère…

DIANE. Ma mère, tu l'as comblée. Elle t'adorait. Ces dernières années, elle imaginait que tu venais à la maison pour elle, que tu t'habillais pour elle… En tout cas elle, elle s'habillait pour toi, si coquette, si charmante, si désireuse de plaire… Tout ce que je ne suis pas.

Elle s'interrompt, soudain douloureuse.

RICHARD. Maintenant, dis-moi la vérité : comment te sens-tu ?

DIANE. Bien. Comme jamais.

Par une grimace, Richard exprime son absence de conviction. Elle le remarque et en sourit.

DIANE. Vous souhaiteriez, toi et ta femme, que je sois détruite ?

RICHARD *(gêné)*. Allons…

DIANE. Naturellement.

RICHARD. Non…

DIANE. Si ! Diane a fait beaucoup de mal, maintenant elle va le payer. Qui n'a pas cette idée enfantine qu'une justice existe ? Une justice tissée dans la trame du monde qui, un jour ou l'autre, serre ses filets, punit les scélérats et récompense les gentils.

Elle rit. Richard la dévisage avec méfiance.

DIANE. Qui est bon ? Qui est méchant ? Ça n'existe pas, les bons, les méchants, il n'y a que des actes mauvais ou des actes bons, et, entre eux, des humains qui s'agitent.

RICHARD *(essayant de l'apaiser)*. Allons, Diane…

DIANE. J'ai voulu te punir de me quitter et je me suis vengée ! Résultat ? Tu es heureux. Elina est heureuse.

Épuisée, elle s'assoit.
Touché, Richard s'assoit à côté d'elle.

RICHARD. La tectonique des sentiments.

DIANE. Pardon ?

RICHARD. La tectonique des sentiments. Rappelle-toi, nous en avions parlé un soir. Les sentiments se déplacent comme les croûtes qui forment la Terre. Lorsqu'ils remuent, les continents entraînent des frottements, des raz de marée, des éruptions, des tsunamis, des tremblements… C'est ce que nous venons de vivre.

DIANE. Par orgueil, par précipitation, j'ai bousculé les plaques et provoqué une catastrophe.

RICHARD *(lui saisissant la main)*. Voilà. C'est fini. Maintenant, c'est l'accalmie.

DIANE. Non, Richard, les plaques flottent, se déplacent à la surface mais le moteur des collisions subsiste, le feu qui monte des profondeurs, la surchauffe radioactive, la fusion constante. *(Avec violence.)* Même si je refusais d'éprouver des émotions, je ne cesserais pas de les subir. Tant que j'aurai un cœur…

Elle n'ose continuer sur ce ton et rejette la tête en arrière.

DIANE. Je ne t'aimais pas.

RICHARD. Toi ?

DIANE. Je ne t'aimais pas. Ou bien je t'aimais mal. En réalité, j'étais surtout en compétition avec toi. *(Un temps.)* J'ai toujours agi comme un homme, Richard, peut-être parce que je ne voulais pas devenir une femme-enfant comme ma mère, peut-être parce que j'avais manqué d'un père, peut-être parce que, dans ma carrière, je rivalisais avec des hommes. Mais les hommes, on ne doit pas les aimer comme on les combat. Si j'ai remporté beaucoup de victoires professionnelles, en revanche ma vie amoureuse… *(Avec douleur.)* Elina, tu l'aimes comme tu n'as aimé personne, tu as gagné une épouse vraie… sincère. Pourquoi ? Parce qu'on n'arrive pas à l'amour sans passer par l'humiliation. Je vous ai humiliés, elle, toi. Par ma faute, vous êtes descendus au plus bas de la honte, chacun a dû ramper, et là vous avez découvert que vous ne sauriez vous priver l'un de l'autre… Alors vous vous êtes autorisés à vous aimer.

Elle soupire avec une grâce nostalgique.

DIANE. Je suis une infirme, inapte aux sentiments car je n'y comprends rien, aux sentiments.

RICHARD. Faux. Tu as su aimer ta mère.

DIANE. Maman ? Une femme-enfant, une femme-oiseau, le contraire de ce que j'apprécie…

RICHARD. Pourtant tu n'as cessé de l'aimer, même lorsqu'elle était injuste avec toi…

DIANE. ... même quand elle me reprochait de ne pas être un garçon. *(Les larmes aux yeux.)* Mon seul amour, ma mère, mon seul véritable amour… un amour inconditionnel…

Gagné par sa palpitation, Richard lui pose la main sur l'épaule. Elle laisse sa joue s'appuyer contre la paume de l'homme.

DIANE. Je voudrais essayer avec toi.

RICHARD. Pardon ?

DIANE. Te porter ce genre d'amour. Un amour inconditionnel.

RICHARD *(contrarié).* Diane, je t'ai expliqué qu'on ne remontait pas le temps.

DIANE. Je ne te parle pas de ça.

RICHARD *(idem).* Je ne quitterai pas Elina.

DIANE. Je ne te parle pas de ça.

RICHARD. Nous partons vivre à l'étranger.

DIANE. Je le sais, je ne te parle pas de ça.

RICHARD. Toi et moi, nous ne nous reverrons sans doute plus.

DIANE. Je le sais, je ne te parle pas de ça.

Richard demeure interdit.

RICHARD. De quoi ?

DIANE. Je te dis seulement que je veux continuer à t'aimer. Ou plutôt commencer à t'aimer.

RICHARD. Mais qu'est-ce que ça signifie pour toi ?

DIANE. Je veux que tu sois heureux.

Un temps.
Richard, désarçonné, ne sait quoi répondre.

DIANE. Es-tu heureux avec Elina ?

RICHARD. Oui.

DIANE. Alors je suis heureuse.

Elina revient. La jeune femme marque sa surprise en voyant Richard et Diane si proches l'un de l'autre, dans une attitude amicale.

ELINA. Richard ? Tout va bien ?

RICHARD. Tout va bien.

ELINA. Tu… tu viens ?

Elina, inquiète, est pressée qu'il quitte sa rivale.

Diane contemple Richard d'une façon rassurante, manifestant qu'elle consent.

DIANE. Va.

Elle a un geste sublime pour le rendre à son épouse. Joue-t-elle une magnifique scène d'adieu dans l'intention de garder le beau rôle ? Est-elle sincère ?

Richard s'éloigne, bouleversé.

Au dernier moment, avant de disparaître, il se retourne et prononce avec émotion, d'une voix tremblante :

RICHARD. Je t'aime, Diane.

DIANE. Moi aussi, Richard.

RICHARD. Enfin ?

DIANE. Enfin…

Note sur la *tectonique*

Lorsqu'ils approchent les sentiments, les poètes recourent souvent à la géographie, soit qu'ils désirent se repérer, soit qu'ils souhaitent se perdre. Ainsi, après avoir, dans l'Antiquité, nommé des fleuves « Oubli » ou repéré des jardins édéniques, ils dessinèrent au XVIIe siècle une carte du Tendre, un plan signalant au galant comment rejoindre sa dame au pays de l'Amour, cette terre bordée par la dangereuse et houleuse mer des Passions.

Aujourd'hui, la géographie a changé ; flirtant davantage avec l'histoire qu'avec la description du paysage, elle explique le présent par le passé, l'immobile par le mouvement et soupçonne que, sous l'éphémère stabilité, rôdent des forces motrices. Selon le savant allemand Alfred Wegener, la *tectonique des plaques*, ou dérive des continents, décrit les structures géologiques et les actions qui en sont responsables. Les plaques rigides qui forment la surface de la Terre flottent, se déplacent, portées par les agitations sous-jacentes du manteau asthénosphérique ; de ces mouvements, naissent les reliefs, les mers, les séismes, les éruptions volcaniques, les raz de marée.

Cette théorie me paraît une bonne métaphore de notre subjectivité. L'état présent de nos sentiments reste menacé par le moteur radioactif, ce psychisme inconscient, plastique, mobile, en fusion constante. Qu'un sentiment bouge légèrement, tout est soumis aux chocs, aux déplacements, les modifications s'enchaînent et les catastrophes explosent.

A l'idyllique carte du Tendre prisée par Mademoiselle de Scudéry, où l'on cabotait sur le fleuve Inclination après une baignade dans la rivière Estime, juste avant un séjour aux villages de Billet-galant ou de Billet-doux, je préfère la violente tectonique des sentiments, mobile, dynamique, ouverte à l'accident, au hasard, où tout ordre se révèle provisoire, où tout repos demeure apparence, où la vie continue sans cesse son œuvre de construction et de déconstruction.

E.-E.S.

Sous sa forme définitive, *La Tectonique des sentiments* a été créée à Paris, au Théâtre Marigny, en janvier 2007. Mise en scène de l'auteur, décors de Charlie Mangel, lumière Fabrice Kebour, costumes Jean-Daniel Vuillermoz, musique Dominique Jonckheere, avec Clémentine Célarié, Tcheky Karyo, Annik Alane, Marie Vincent et Sara Giraudeau.

Une première version de la pièce avait été créée à Bruxelles, au Théâtre Le Public, en septembre 2005. Mise en scène Michel Kacenelenbogen, avec Patricia Ide, Philippe Résimont, Françoise Oriane, Rosalia Cuevas et Céline Peret.

DU MÊME AUTEUR

Aux Éditions Albin Michel

Romans

LA SECTE DES ÉGOÏSTES, 1994.

L'ÉVANGILE SELON PILATE, 2000, 2005.

LA PART DE L'AUTRE, 2001.

LORSQUE J'ÉTAIS UNE ŒUVRE D'ART, 2002.

Nouvelles

ODETTE TOULEMONDE ET AUTRES HISTOIRES, 2006.

LA RÊVEUSE D'OSTENDE, 2007.

Le cycle de l'invisible

MILAREPA, 1997.

MONSIEUR IBRAHIM ET LES FLEURS DU CORAN, 2001.

OSCAR ET LA DAME ROSE, 2002.

L'ENFANT DE NOÉ, 2004.

Autobiographie

MA VIE AVEC MOZART, 2005.

Essai

DIDEROT OU LA PHILOSOPHIE DE LA SÉDUCTION, 1997.

Théâtre

LA NUIT DE VALOGNES, 1991.

LE VISITEUR (Molière du meilleur auteur), 1993.

GOLDEN JOE, 1995.

VARIATIONS ÉNIGMATIQUES, 1996.

LE LIBERTIN, 1997.

FRÉDÉRICK OU LE BOULEVARD DU CRIME, 1998.

HÔTEL DES DEUX MONDES, 1999.

PETITS CRIMES CONJUGAUX, 2003.

MES ÉVANGILES (*La Nuit des Oliviers*, *L'Évangile selon Pilate*), 2004.

Le Grand Prix du Théâtre de l'Académie française 2001
a été décerné à Eric-Emmanuel Schmitt
pour l'ensemble de son œuvre.
Site Internet : eric-emmanuel-schmitt.com

Composition IGS-CP
Impression Bussière, décembre 2007
Éditions Albin Michel
22, rue Huyghens, 75014 Paris
www.albin-michel.fr
ISBN : 978-2-226-16806-1
N° d'édition : 25772 – N° d'impression : 073920/4
Dépôt légal : janvier 2008
Imprimé en France.